DETECTIVE CONAN

23

Gosho AOYAMA

青山剛昌

Kana

RÉSUMÉ DES VOLUMES PRÉCÉDENTS

CONAN EDOGAWA EST UN PETIT DÉTECTIVE. C'EST EN FAIT
L'APPARENCE PROVISOIRE DE SHINICHI KUDO, DÉTECTIVE LYCÉEN,
REDEVENU ENFANT À CAUSE D'UN LIQUIDE EMPOISONNÉ QUE
LUI ONT FAIT BOIRE LES MEMBRES DE L'ORGANISATION DES
HOMMES EN NOIR. AI HAIBARA, QUI EST UNE CAMARADE
DE CLASSE DE CONAN, EST UNE ANCIENNE SAVANTE DE
L'ORGANISATION ET ELLE AUSSI A RAPETISSÉ EN BUVANT LA
POTION. ACTUELLEMENT, ELLE CACHE SON IDENTITÉ ET HABITE
CHEZ LE PROFESSEUR AGASA.
TOUT EN GÉRANT LE STRESS QUE LA COHABITATION AVEC RAN
LUI PROCURE, CONAN VA D'AFFAIRE EN AFFAIRE. IL FAIT PARFOIS
ÉQUIPE AVEC LE FILS DU PRÉFET DE POLICE D'OSAKA, HEIJI
HATTORI AVEC QUI IL S'ENTEND À MERVEILLE ET FORME UN
TANDEM DE CHOC. MAIS N'Y A-T-IL VRAIMENT AUCUNE ÉNIGME
QUI PUISSE ÉCHAPPER À DE BONS DÉTECTIVES ?!

SOMMAIRE

Dossier 1 : CINECITTA

GOMERA ! GOMERA !!

DANS CE CAS, ALLONS VOIR "LE MEURTRE DE LA LÉGENDE D'ONIMARU" QUI SE JOUE AU CINÉMA KAMINARI !

EH, OH ! ON EST DES DÉTECTIVES, OUI OU NON ?

CE SERA GOMERA !!!

2

ÇA, QUESTION PRISE DE TÊTE, IL N'Y A PAS MIEUX...

C'EST QUOI, ÇA ?

OUI... POURQUOI PAS "EINSTEIN : JOURS DE DOUTE ET DE GLOIRE" ?

AÏ, QU'EST-CE QUE TU EN DIS ?

AUJOURD'HUI, MOI JE PRÉFÈRE VOIR UN FILM PLUS AMUSANT, PLUS "GRAND SPECTACLE" !

C'EST UN FILM OÙ IL FAUT BEAUCOUP RÉFLÉCHIR, NON ?

OUI ! JE NE VOIS QUE ÇA...

IL NE RESTE QU'UNE SOLUTION...

ALORS QU'EST-CE QU'ON FAIT ?

OH NON ! SI LE PROFESSEUR AGABA NOUS A DONNÉ DES BONS DE RÉDUCTION, C'EST POUR QU'ON Y AILLE TOUS ENSEMBLE...

POURQUOI N'IRIONS-NOUS PAS CHACUN DE NOTRE CÔTÉ ? ÇA RÉSOUDRAIT LE PROBLÈME, NON ?

PIERRE... PAPIER...

AAH... C'EST AFFREUX !

KINEKAWA

3

CETTE LÉGENDE...

IL NE RESTE QU'UN SEUL ESPOIR À L'HUMA-NITÉ...

BEAUCOUP D'INNOCENTS VONT ENCORE PÉRIR...

EN PUBLIANT LE RÉSULTAT DE MES RECHERCHES...

OUAAAAAAAAIS !!

RAAAORGH

LA FORCE DU GÉANT GOMERA...

NE TE LAISSE PAS FAIRE PAR GUMORAS, LE MANGEUR D'HOMMES !!

VAS-Y, GOMERA !!!

LA TÊTE ! LA TÊTE ! C'EST SON POINT FAIBLE !!

PFT...

4

NOTRE NAÏVE HUMANITÉ ANÉANTIE PAR SON ADMIRATION POUR LA SCIENCE... TU NE TROUVES PAS QUE C'EST EXCITANT ?

MOI, JE TROUVE CE FILM ASSEZ BIEN FAIT...

DÉCIDER À "PIERRE, PAPIER, CISEAUX"... IL Y AVAIT 3 CHANCES SUR 5 QUE CE SOIT GOMERA...

VOUS EN FAITES DU BRUIT !

HA HA HA ~

OOOOOOOOOOOH

8

JE N'ARRIVE PAS À SUIVRE LE FILM...

ET SI VOUS POUVIEZ RESTER ASSIS ET ARRÊTER DE LEVER LES BRAS PENDANT LA PROJECTION...

NOUS SOMMES DÉSOLÉS...

PENSEZ UN PEU AUX AUTRES SPECTATEURS !!!

TOSHIYUKI IDE. 21ANS. ÉTUDIANT.

AUJOURD'HUI, C'EST LE JOUR DE COMMÉMORATION DE L'ÉDIFICATION DE L'ÉCOLE DE TEITAN ! DONC POUR NOUS, C'EST FÉRIÉ MAIS IL N'EMPÊCHE QU'ON EST EN SEMAINE... QUI PLUS EST, CE FILM EST UNE REPRISE...

QUATRE PERSONNES EN DEHORS DE NOUS...

MAIS IL N'Y A VRAIMENT PAS BEAUCOUP DE SPECTATEURS...

C'EST DE VOTRE FAUTE ! SI VOUS REGARDIEZ LE FILM PLUS CALMEMENT!

POUR QUI SE PREND-IL, CELUI-LÀ ?

BTAM

YH

MA MÈRE M'A DIT LA MÊME CHOSE !

MON PÈRE M'A DIT QU'IL VALAIT MIEUX NE PAS VENIR DANS CE CINÉMA CAR IL Y AVAIT SOUVENT DES DISPUTES...

5

ILS SONT EN TRAVAUX DE RÉNOVATION OU QUOI ?

DES ESCABEAUX QUI TRAÎNENT, DES CORDES ET DES CÂBLES SUR LE SOL...

C'EST PAS UN MODÈLE DE PROPRETÉ, CETTE SALLE DE CINÉ...

C'EST LE PREMIER DE LA SÉRIE DES GOMERA ! IL A ÉTÉ FAIT BIEN AVANT NOTRE NAISSANCE. PETIT À PETIT, IL ÉVOLUE !

OUI ! SA TÊTE FAISAIT UN PEU PEUR ET SON CORPS ÉTAIT UN PEU TROP PETIT MAIS C'ÉTAIT SUPER !!

CE GOMERA, C'ÉTAIT TROP CHOUETTE !

HEIN ?

EH ! ATTENDS ! IL EN RESTE ENCORE DEUX, NON ?

ALLEZ ! ON RENTRE ET ON SE FAIT UN MATCH DE FOOT ! QU'EST-CE QUE VOUS EN DITES ?

JE L'AI VU PLEIN DE FOIS QUAND J'ÉTAIS MÔME...

EUH... PAS MAL...

ET TOI, CONAN ? COMMENT TU AS TROUVÉ ÇA ?

TROIS FILMS... ÇA FAIT SIX HEURES DE "CHEF-D'ŒUVRE"... ÇA FAIT UN PEU TROP, NON ?

	1ère SÉANCE	2ème
LE GRAND MONSTRE GOMERA	9:50	15:
LA REVANCHE DE GOMERA	11:	
GOMERA CONTRE MÉCHA-GOMERA		

UNE... UNE TRILOGIE ? MAIS JE LES AI DÉJÀ TOUS VUS...

6

EUH... OUI...

CONAN ! AÏ ! VOUS VENEZ AVEC NOUS EN ACHETER ?

JE CROIS QU'À L'ENTRÉE, ON VENDAIT DES POP-CORN !

EH, VOUS N'AVEZ PAS UN PETIT CREUX ?

NON, DITES-MOI QUE CE N'EST PAS VRAI...

JE SUIS DÉSOLÉ... ILS FAISAIENT DES TRAVAUX MÊME AVANT LA SÉANCE, ALORS...

JE VOIS ! C'EST POUR ÇA QU'IL Y AVAIT TOUT CE MATÉRIEL DANS LA SALLE !

OUI, ILS POURRAIENT QUAND MÊME ATTENDRE JUSQU'À DEMAIN...

QUI AURA EXISTÉ PENDANT PLUS DE 30 ANS...

CE CINÉMA...

ON A ÉTÉ BIEN GENTILS D'ATTENDRE JUSQU'À AUJOURD'HUI...

NOUS, ON ÉTAIT MÊME PRÊTS À LE DÉTRUIRE SUR-LE-CHAMP...

ALLONS, NE DITES PAS ÇA...

AKIO MURAMATSU. 62 ANS. DIRECTEUR DU CINÉMA.

M. HARUTA...

SEIJI HARUTA. 43 ANS. AGENT IMMOBILIER.

TOUT ÇA PARCE QUE LE DIRECTEUR DE L'ÉTABLISSEMENT SOUHAITAIT ATTENDRE LA DATE ANNIVERSAIRE DE L'OUVERTURE DE CE CINÉMA...

8

EH OH !

GOMERA ÉCRASE CE CINÉMA...

ÇA NOUS ARRANGERAIT QUE...

J'AURAIS PRÉFÉRÉ PAYER MOINS CHER... CETTE DÉMOLITION N'EST PAS DONNÉE...

DIRE QUE JE SUIS VENU VOIR LA DERNIÈRE SÉANCE DE CE CINÉMA POURRI... ON NE PEUT PAS DIRE QU'IL Y AVAIT FOULE...

JE FERAI GAFFE À PARTIR DE DEMAIN...

FLIC TOC

PSSST

AH, DÉSOLÉ...

NE M'OBLIGEZ PAS À LE RÉPÉTER À CHAQUE FOIS !

IL EST INTERDIT DE FUMER ICI !

VRAI-MENT...

BTAM

HA HA HA !

MINORU FURUHASHI. 39 ANS. PROJECTIONNISTE.

C'EST UNE DES RAISONS POUR LESQUELLES ON A PEK̄U BEAUCOUP DE CLIENTS...

EN PLUS, JUSTE AVANT QU'IL N'ARRIVE, VOUS POUVEZ ÊTRE SÛRS QU'IL Y AURA UNE DISPUTE ENTRE VOYOUS...

OUI... CES DERNIERS TEMPS, TOUS LES JOURS

"À CHAQUE FOIS", VOUS VOULEZ DIRE QU'IL VIENT SOUVENT ICI ?

9

FLAAAASH

HM ?

ALLONS, ALLONS !!

IL A FAIT TOUT CELA POUR SAPER LA RÉPUTATION DE CE CINÉMA ET NOUS OBLIGER À FERMER !!

JE SUIS SÛRE QUE C'EST LUI QUI PAYAIT CES VOYOUS !!!

OUI... COMME C'EST LE DERNIER JOUR, IL M'A DEMANDÉ S'IL POUVAIT PRENDRE DES PHOTOS DE L'ÉTABLISSEMENT EN SOUVENIR...

MAIS C'EST IDE... IL EST VENU AUJOUR-D'HUI AUSSI ?

TIENS ? C'EST L'HOMME DE TOUT À L'HEURE...

IL EST COMME MON FILS...

IL ADORE LES FILMS DE CE GENRE. IL VIENT ICI DEPUIS QU'IL EST TOUT PETIT...

NON, NON...

ÇA NE VOUS DÉRANGE PAS ?

DANS CE CAS, JE VAIS Y ALLER...

ET L'ÉPICERIE EST TOUJOURS BONDÉE À MIDI...

ZUT ! J'AI OUBLIÉ D'ALLER ACHETER LES DÉJEUNERS !

ET SI NOUS ALLIONS DÉJEUNER...?

14

10

ET SI JAMAIS IL Y A DU MONDE, LA DAME DU GUICHET VIENDRA NOUS DONNER UN COUP DE MAIN !

AUJOURD'HUI NON PLUS, IL NE DEVRAIT PAS Y AVOIR BEAUCOUP DE CLIENTS...

TU N'AURAS QU'À Y ALLER QUAND LA PROJECTION DU PROCHAIN FILM AURA COMMENCÉ !

C'EST VRAI, J'OUBLIAIS...

NON ! M. LE DIRECTEUR, AUJOURD'HUI VOUS DEVEZ PROFITER DES FILMS...

D'ACCORD... MAIS ÇA SERA À VOTRE COMPTE !

ALI FAIT RACHETÉ DU THE, S'IL TE PLAIT !

IL FAUT QUE T'AILLE DANS LA SALLE DE PROJECTION...

OH... C'EST BIENTÔT L'HEURE DE LA PROCHAINE SÉANCE...

C'EST DOMMAGE...

IL Y AVAIT POURTANT PLEIN DE FILMS INTÉRESSANTS...

OLLI...

CE CINÉMA VA DISPARAÎTRE...

11

LA REVANCHE DE GOMERA

Les films EIRIN

AAAAAH, C'EST HORRIBLE !!!

TU VAS VOIR : IL VA PONDRE SES ŒUFS DANS GOMERA ET...

BOUM

AAH !

KEUF KEUF

PFUiiiT

JE SUIS GOMERA !

QU'EST-CE QUE VOUS VOULEZ ?!

MOI ?

JE SUPPOSE QUE C'EST LUI QUI PAYAIT LES VOYOUS...

OUI...

SORTONS D'ICI...

Hi Hi Hi

CELA FAISAIT LONGTEMPS QUE JE NE M'EN ÉTAIS PAS FARCI COMME ÇA... AUTANT EN PROFITER...

BOUM

ENFIN ! TANT PIS...

PAUVRE DIRECTEUR...

12

TAP

TAP

TAP

TAP

ZZZZ
ZZZz

PFT...
REGARDER
PLUSIEURS
FILMS
D'AFFILÉE
COMME ÇA,
C'EST PAS
POUR LES
ENFANTS.

HEIN ?

POM

J'AI ENVIE
D'ALLER AUX
TOILETTES
ALORS
REMPLACE-
MOI, S'IL
TE PLAÎT...

AÏ ! AYUMI
S'EST
ENDORMIE...

AVANT
LA FIN
DU
FILM...

UN PEU
PLUS
D'UNE
HEURE...

EH, OH,
EH...

ZZ...
ZZ...

14

RESTER
COMME
ÇA ?!

JUSQUE-
LÀ, JE
VAIS
DEVOIR...

OUI...

GOMERA !!!

L'ELFE EMERA EST VRAIMENT JOLIE !

GOMERA, S'IL TE PLAÎT...

CALME-TOI...

VOTRE THÉ EST PRÊT !

M. FURU-HASHI !

SALLE DE PROJECTION

JE LE POSE ICI...

AH ! MERCI !

15

QUOI ?!

HEIN ?

QU'EST-CE QUE C'EST QUE ÇA ?!

DEVANT LA FENÊTRE DE LA SALLE DE PROJECTION...

QUELQUE CHOSE EST SUSPENDU...

IL Y A UNE OMBRE NOIRE QUI BOUGE !

16

OUI !

VA VOIR CE QUE C'EST, S'IL TE PLAÎT !

IL FAIT NOIR, ON NE VOIT PAS BIEN !

HM ? UNE CORDE ?

FLAAASH

EH ! QU'EST-CE QUE C'EST ?!

QU'EST-CE QUI SE PASSE ?!

17

LES MOMENTS DE RÉPIT N'EXISTENT PAS...

JE CROIS QUE POUR TOI...

MAIS C'EST ...!

AH !

LA VÉRITÉ DANS LE MIROIR

SEIJI HARUTA, 43 ANS...

BROUAHA

HI! BROUAHA

HI! BROUAHA

2

OUI... CES DERNIERS TEMPS, TOUS LES JOURS...

M. HARUTA VENAIT SOUVENT ICI ?

JE CROIS QU'IL AVAIT TROUVÉ UN ACHETEUR, UN GÉRANT DE SUPERMARCHÉ, QUI LE PRESSAIT...

IL NE VENAIT PAS POUR VOIR DES FILMS MAIS POUR SURVEILLER L'AVANCÉE DE LA DÉMOLITION DE CE CINÉMA...

AKIO MURAMATSU. 62 ANS, DIRECTEUR DU CINÉMA.

PATRON D'UNE AGENCE IMMOBILIÈRE PRÈS D'ICI, IL AVAIT, SEMBLE-T-IL, RACHETÉ CE CINÉMA QUI FERME AUJOUR- D'HUI...

CE QUI ME GÊNAIT PARCE QUE SA FUMÉE FAISAIT DE L'OMBRE SUR LA PROJECTION !

IL S'ASSEYAIT TOUJOURS À LA MÊME PLACE AU FOND, JUSTE SOUS LA PETITE FENÊTRE PAR LAQUELLE ON PROJETTE LES FILMS !

BIEN QUE NOUS LUI AYONS FAIT DES REMARQUES PLUSIEURS FOIS, IL CONTINUAIT À FUMER DANS LA SALLE ET À SE MOQUER DES SPECTATEURS...

C'ÉTAIT UNE ATTEINTE PERMANENTE À NOTRE ACTIVITÉ COMMERCIALE !!

IL N'A JAMAIS CHERCHÉ QU'À NOUS EMBÊTER ! IL S'ENNUYAIT CERTAINEMENT DANS SA VIE !

MINORU FURUHASHI. 39 ANS. PROJECTIONNISTE.

YURIKO TOMOSATO. 23 ANS. VENDEUSE.

QU'IL S'EST PENDU PENDANT LA PROJECTION ?

MAIS EST CE VRAI...

JE CROIS QU'AUJOURD'HUI AUSSI IL FUMAIT... PARFOIS IL Y AVAIT DE L'OMBRE SUR L'ÉCRAN...

C'EST POUR ÇA QUE SUR L'ÉCRAN EST APPARUE L'OMBRE DE LA CORDE ET DE SA TÊTE !

OUI... PAS DE DOUTE !! IL S'EST PENDU JUSTE DEVANT LA LUCARNE PAR LAQUELLE JE PROJETTE MES FILMS ...

C'ÉTAIT AU MOMENT DE LA SCÈNE D'EMERA !!

EUH... OUI, C'ÉTAIT À...

VOUS SAVEZ À QUELLE HEURE C'EST ARRIVÉ ?

3

QUOI ? ENCORE VOUS !

SUR LE GROS PLAN D'EMERA EST APPARUE UNE OMBRE QUI SE BALANÇAIT !

C'EST LA SCÈNE OÙ EMERA ESSAYE D'APAISER GOMERA QUI EST EN COLÈRE !

JE PENSE QUE C'EST ÇA...

SI LA PROJECTION A COMMENCÉ À L'HEURE PRÉVUE...

À 12 HEURES 44...

CETTE SCÈNE SE SITUE UN PEU AVANT LA MOITIÉ DU FILM DONC...

TOSHIYUKI IDE. 21 ANS. ÉTUDIANT.

OUI, IDE EST UN FAN DE FILMS DE CE GENRE...

QUELLE PRÉCISION...

BREF...

OUI ! ELLE DISCUTAIT DEPUIS LE DÉBUT DE LA PROJECTION DE CE FILM AVEC UNE VOISINE DU QUARTIER...

ÊTES-VOUS SÛR DE CE TÉMOIGNAGE ?

CES QUATRE PERSONNES ET LES ENFANTS ÉTAIENT LES SEULS DANS L'ÉTABLISSEMENT !

INSPECTEUR MAIGRET ! SELON LES DIRES DE LA DAME DU GUICHET...

4

UN VIEIL HOMME, UNE FEMME, UN GRINGALET... VOUS LES IMAGINEZ SOULEVER CET HOMME ET LE PENDRE AU BOUT D'UNE CORDE ?

DITES, M. L'INSPECTEUR, IL S'AGIT D'UN SUICIDE, NON ?

CELA VEUT DIRE QUE L'UN DE VOUS QUATRE A PU COMMETTRE LE CRIME ?

HEIN ?

CELA NE FAIT AUCUN DOUTE PUISQUE C'EST LE MOMENT OÙ JE LUI AI APPORTÉ SON DÉJEUNER ET SON THÉ !

OUI...

N'EST-CE PAS, YURIKO ?

À LA RIGUEUR, MOI J'AURAIS PU LE FAIRE, MAIS LORSQUE L'OMBRE EST APPARUE SUR L'ÉCRAN J'ÉTAIS DANS LA SALLE DE PROJECTION...

5

HM ? UN APPAREIL PHOTO NUMÉRIQUE ?

CAR MOI, IL ME RESTE CET ALIBI...

ÇA, C'EST IMPOSSIBLE...

DONC, EN VOUS Y METTANT À DEUX, VOUS POUVIEZ Y ARRIVER... EN PLUS VOUS SEMBLEZ BIEN VOUS CONNAÎTRE, TOUS LES DEUX...

HEIN ?!

JE REGARDAIS LE FILM DANS LA SALLE...

OÙ ÉTIEZ-VOUS TOUS LES DEUX À CE MOMENT-LÀ ?

UNE PHOTO PRISE AU MOMENT DU CRIME ?!

C'EST ?!

C'EST VRAI...

DANS CE CAS, REGARDEZ AUSSI LA DIZAINE DE PHOTOS QUE J'AI PRISES AUPARAVANT ! JE LES AI PRISES DU MÊME ANGLE ET LES SCÈNES SE SUIVENT ! JE PENSE QUE C'EST BIEN LA PREUVE QUE JE PRENAIS DES PHOTOS DU MÊME ENDROIT...

TAC

TIP TIP

VOUS AVEZ TRÈS BIEN PU PRENDRE CETTE PHOTO JUSTE APRÈS QU'IL S'EST PENDU...

OUI, JE L'AI PRISE PAR HASARD... C'EST UNE SCÈNE CHARGÉE DE SOUVENIRS QUE J'AVAIS VUE QUAND J'ÉTAIS ENFANT...

TOUT COMME CETTE SALLE...

OUI ! REGARDEZ LES SPECTATEURS DANS LA SALLE !

HEIN ?

JE NE PENSE PAS...

C'EST UN APPAREIL NUMÉRIQUE ! VOUS AVEZ PU RAJOUTER UNE OMBRE SUR UNE PHOTO QUE VOUS AVIEZ PRISE AUPARAVANT...

6

ET CINQ PHOTOS PLUS LOIN, CELLE OÙ L'OMBRE APPARAÎT...

C'EST LE MOMENT OÙ MITSUHIKO EST REVENU DES TOILETTES !

TIP TIP

ON Y VOIT LE DIRECTEUR ET MITSUHIKO !

LE PRO-JECTEUR EST LÀ !

ICI C'EST LE VESTIAIRE...

OÙ SE TROUVE LE PROJEC-TEUR ?

TIENS ?

SALLE DE PRO-JEC-TION

PENDANT QU'AVEC L'UN ON PROJETTE LE FILM, AVEC L'AUTRE JE REMBOBINE CELUI QU'ON A PASSÉ...

OUI...

OOH, VOUS EN AVEZ DEUX ?

NON... LA VITRE EST BIEN FIXÉE...

CETTE FENÊTRE NE S'OUVRE PAS ?

ET L'HOMME S'EST PENDU FACE À CETTE FENÊTRE... CE QUI A FAIT UNE OMBRE SUR L'ÉCRAN !

ET CELLE DE GAUCHE EST CELLE PAR LAQUELLE LE FILM EST PROJETÉ...

LA FENÊTRE DE DROITE EST CELLE QUI SERT À VOIR SI LE FILM EST BIEN PROJETÉ.

8

J'AI PENSÉ À UN TRUC MARRANT !!!

HM ?

HE HE !!!

DANS CE CAS, IL S'AGIT PROBA-BLEMENT D'UN SUICIDE...

HM...

IL N'Y A PAS DE MEILLEUR ALIBI, NON ?

QUAND L'OMBRE EST APPARUE, MOI J'ÉTAIS ICI, ET ELLE ÉTAIT DANS LA PIÈCE D'À CÔTÉ EN TRAIN DE FAIRE DU THÉ...

ET ON PASSE LA DEUXIÈME PARTIE SUR L'AUTRE PROJECTEUR !

SI ON COUPE LE FILM EN DEUX À PARTIR DE LA SCÈNE D'EMERA, ON INSTALLE LA PREMIÈRE PARTIE DANS LE PROJECTEUR LÀ-BAS...

C'EST MARRANT, NON ?

AINSI ON PEUT PENDRE LA VICTIME BIEN AVANT !!

ET AU MOMENT OÙ IL PASSE LA DEUXIÈME PARTIE DU FILM, L'OMBRE DU CADAVRE APPARAÎT !

AH OUI ! DANS CE CAS, LA PREMIÈRE PARTIE PEUT ÊTRE DIFFUSÉE SANS ÊTRE GÊNÉE PAR LE CORPS !

9

INSPECTEUR ! JE VOUS INVITE À REGARDER LA BOBINE ! VOUS N'Y TROUVEREZ AUCUNE TRACE !

MAIS EN AGISSANT AINSI, IL RESTE FORCÉMENT UNE TRACE DU RACCORD SUR LA BOBINE...

HAHAHA ! C'EST EFFECTIVEMENT UNE IDÉE MARRANTE, PETIT ! CERTAINES SALLES DE CINÉMA FONT CE GENRE DE CHOSES...

5 MINUTES AVANT QUE L'OMBRE APPARAISSE SUR L'ÉCRAN ET QUE TOUT LE MONDE S'AFFOLE... ÇA DEVAIT ÊTRE VERS 12 HEURES 40 .

QUAND ÊTES-VOUS REVENUE DE VOS COURSES ?

EN PLUS, PETIT, QUAND J'AI RAMENÉ LE DÉJEUNER DANS LA SALLE DE PROJECTION, SEUL LE PROJECTEUR DE DEVANT FONCTIONNAIT.

AH BON...

HEIN ?!

J'AI VU CETTE FEMME SE TENIR LE HAUT DE SA PAUPIÈRE DEVANT LE MIROIR DES TOILETTES POUR FILLES !!

JUSTE AVANT QUE L'OMBRE NE VOILE LA SCÈNE D'EMERA !

C'ÉTAIT QUAND EXACTE-MENT ?!

COMMENT ?!

CO...

CE SONT... CE SONT MES VERRES DE CONTACT...

QU'EST-CE QUE ÇA VEUT DIRE ? VOUS N'ÊTES PAS RESTÉE DANS CETTE PIÈCE APRÈS ÊTRE REVENUE DES COURSES ?!

MAIS VOUS N'AVEZ PAS À VOUS EN FAIRE, CAR QUAND L'OMBRE EST APPARUE, ELLE ÉTAIT AVEC MOI !

NON... J'ÉTAIS DANS LA SALLE DE PRO-JECTION...

VOUS VOUS EN ÉTIEZ RENDU COMPTE ?

ÇA N'A PAS PRIS PLUS D'UNE MINUTE AUSSI JE NE TROUVAIS PAS NÉCESSAIRE DE VOUS LE DIRE...

UNE DE MES LENTILLES S'ÉTAIT DÉCALÉE ALORS JE LA REMETTAIS EN PLACE PENDANT QUE L'EAU CHAUFFAIT...

DES VER-RES DE CONTACT ?

11

IL N'AURAIT PAS PU LES REMBOURSER MÊME EN REVERSANT TOUS LES BÉNÉFICES DE LA VENTE DE CET ÉTABLISSEMENT..

IL SEMBLE QUE LA VICTIME AVAIT D'IMPORTANTES DETTES DE JEU !

HM ?

INSPECTEUR !!!

IL Y AVAIT DONC UN MOBILE POSSIBLE AU SUICIDE...

JE VOIS...

D'APRÈS LES DIRES DU VOISINAGE, TÔT OU TARD, SON AGENCE IMMOBILIÈRE AURAIT FAIT FAILLITE...

UN SUICIDE ?

VOYONS !

VRAIMENT... C'EST EMBÊTANT ! IL AURAIT PU SE SUICIDER AILLEURS...

12

SON COMPORTEMENT ÉTRANGE...

ET ELLE...

L'AIR CONDITIONNÉ QUI NE SOUFFLAIT PAS COMME D'HABITUDE, ET CETTE SCÈNE...

MAIS TOUT CELA ME PRÉOCCUPE...

VU LES CIRCONSTANCES, ON PEUT PENSER QU'IL EST MONTÉ SUR UNE ÉCHELLE ET QU'IL S'EST PASSÉ UNE CORDE AU COU... MAIS IL N'AVAIT RIEN D'UN TYPE QUI S'APPRÊTE À SE SUICIDER...

C'EST L'INSPECTEUR QUI M'A CONTACTÉ, JE SUIS VENU VOUS CHERCHER !

COMMENT AVEZ-VOUS FAIT POUR NOUS TROUVER ?

AH, PROFESSEUR !

ILS SONT AUX TOILETTES !

TIENS ? OÙ SONT CONAN, AYUMI ET AÏ ?

C'EST TOUT DROIT À PARTIR DE LA SALLE DE PROJECTION MAIS...

AU FOND DU PASSAGE À GAUCHE, FACE À L'ÉCRAN...

LES TOILETTES SE TROU-VENT...

13

ALORS TOI, ÇA NE TE FAIT RIEN ?

POUR-QUOI ÇA ?

POURQUOI EST-CE QU'ELLE EST VENUE JUSQU'ICI EXPRÈS...

J'AI BEAU RÉFLÉCHIR, JE NE TROUVE PAS...

MOI, TOUS LES MATINS, QUAND JE VOIS ÇA, J'AI FROID DANS LE DOS...

HEIN ?

OUI... J'EN SUIS DÉSOLÉE...

IDIOTE ! C'EST À CAUSE DU POISON QUE TU AS FABRIQUÉ QU'ON EN EST LÀ, NON ?

C'EST LA QUESTION QUE JE ME POSE...

"QUI ES-TU, TOI ?"...

TU DOIS MENTIR À TOUT LE MONDE...

TOI QUI POURSUIS LA VÉRITÉ...

14

NE REFLÈTE PAS TA RÉELLE APPARENCE...

MÊME CE MIROIR QUI EST CENSÉ REFLÉTER FIDÈLEMENT LA RÉALITÉ...

DES MÉGOTS ET DES CENDRES DE CIGARETTE !!!

J'AI TROUVÉ !!!

C'EST CETTE PERSONNE QUI A TUÉ M. HARUTA...

PAS DE DOUTE SUR LE COUPABLE...

DES TRACES DE CHAUSSURE !!

ET SUR LE SIÈGE DE DEVANT...

16

QUI SE TROUVE ENTRE OMBRE ET LUMIÈRE...

EN UTILISANT HABILEMENT L'ESPACE DE LA SALLE DE CINÉMA...

C'EST VRAI, SHINICHI ?!

TU AS TROUVÉ QUI EST LE COUPABLE ?!

QUOI ?!

KINEKAWA

OUI...

LE STRATAGÈME DE LA LUMIÈRE ET DE L'OMBRE !!

ET AUSSI L'ALIBI DONT LE MEURTRIER S'EST SERVI...

HM, HM...

D'ABORD, PROFESSEUR...

ÇA VA ALLER, VOUS N'AVEZ QU'À DIRE QUE NOUS VOUS AVONS TOUT RACONTÉ EN DÉTAIL !

JE VIENS JUSTE D'ARRIVER, JE NE PEUX PAS JOUER LES DÉTECTIVES...

MAIS COMMENT COMPTES-TU FAIRE ?

2

CETTE FOIS, J'AI UN RÔLE POUR VOUS AUSSI !

C'EST BON !

TU SAIS QUE TU VAS PERDRE DES AMIS ?

TU VEUX ENCORE FAIRE CAVALIER SEUL ?

C'EST PAS JUSTE ! À CHAQUE FOIS, TU TROUVES TOUT TOUT SEUL...

VOUS...

HM ?

INS-PEC-TEUR !

?

OUI...

BON ! ÉCOUTEZ BIEN...

3

COMMENT ? MAIS ALORS VOUS N'AVEZ PAS ENCORE VENDU ?

NON...

OUI... IL SEMBLERAIT QU'IL Y AIT EU UN PROBLÈME DE PRÊT : IL LUI AURAIT MANQUÉ 10 MILLIONS DE YENS POUR RACHETER CET ÉTABLISSEMENT...

D'APRÈS LE TÉMOIGNAGE D'UN EMPLOYÉ DE L'AGENCE IMMOBILIÈRE DE M. HARUTA, IL ÉTAIT TRÈS TENDU CES DERNIERS JOURS, ET S'ÉTAIT DISPUTÉ AVEC SON BANQUIER JUSTE AVANT DE VENIR ICI...

UNE DIS-PU-TE ?

QUELLE CRAPULE...

JE SUIS SÛRE QU'IL VOULAIT FAIRE BAISSER LE PRIX OU QUELQUE CHOSE DE CE GENRE.

LE CONTRAT OFFICIEL ET LE PAIEMENT DEVAIENT S'EFFECTUER DEMAIN...

CE N'EST PAS IMPOSSIBLE...

IL EN A PEUT-ÊTRE EU MARRE DE TOUT ET S'EST SUICIDÉ...

JE VOIS... EN PLUS DES PROBLÈMES DE GESTION DE SA SOCIÉTÉ, L'ACHAT DU CINÉMA SE COMPLIQUAIT...

4

HEIN ?

PFUIT !!!

OUI... DEMAIN, ON REVIEN-DRA POUR...

TU PEUX, NON ? TOUT PORTE À CROIRE QU'IL S'AGIT D'UN SUICIDE...

DITES... EST-CE QUE JE PEUX RENTRER ? J'AI UN RENDEZ-VOUS DONC...

QUI A ÉTEINT LES LUMIÈRES ?!

QU'EST-CE QUE C'EST ?!

JE VAIS REJOUER SOUS VOS YEUX LE STRATA-GÈME QU'A UTILISÉ LE MEURTRIER !

CE QUE JE FAIS ? C'EST ÉVIDENT, NON ?

QU'EST-CE QUE VOUS FAITES DANS LA SALLE DE PROJECTION ?

PROFES-SEUR AGASA ?!

C'EST MOI, C'EST MOI !

TOC TOC

OUI...

DU MEURTRIER ?!

LE... LE STRATA-GÈME...

5

ET IL A ESSAYÉ DE MONTER SON ALIBI AVEC CE PROJEC-TEUR...

IL A ÉTRANGLÉ SA VICTIME DANS L'OBSCURITÉ DE LA SALLE PENDANT LA PROJECTION...

AGH

AGH

C'EST DE VOTRE STRATA-GÈME QUE JE PARLE !!

M. FURUHASHI !!!

ET PUIS QU'EN SAVEZ-VOUS ? VOUS N'ÉTIEZ MÊME PAS LÀ AU MOMENT DES FAITS ?!

M. FURUHASHI ÉTAIT AVEC MOI LORSQUE HARLITA S'EST PENDU, NON ?

EH ! PAS SI VITE, MONSIEUR !!!

QUOI ?!

QUOI...

OUI !!

N'EST-CE PAS, CONAN ?

AGH AGH

JE SAIS À PEU PRÈS TOUT CE QUI S'EST PASSÉ GRÂCE À CE QUE M'A RACONTÉ LE PETIT...

6

COMME ÇA ?

FLASH

AH OUI... ÇA...

MAIS PUISQUE JE VOUS DIS QUE QUAND L'OMBRE DE L'HOMME EST APPARUE, M. FURUHASHI ÉTAIT AVEC MOI DANS LA CABINE !?

HEIN ?

CE N'EST PAS TOUT !

MOI JE NE VOIS QU'UN ENFANT SUSPENDU AU MILIEU DE L'IMAGE, C'EST TOUT...

ET EN QUOI CONSISTE LE STRATAGÈME ALORS ?

PFF !

OH, C'EST LA TÊTE DE GENTA !

SI TU ÉTAIS SUSPENDU DEPUIS TOUT À L'HEURE, ON AURAIT DÛ TE VOIR QUAND ON A REGARDÉ VERS LA FENÊTRE...

EH OH, C'EST PAS BEAU DE MENTIR !

OUI !!!

N'EST-CE PAS ?

GENTA EST SUSPENDU DEPUIS TOUT À L'HEURE !

7

MAIS, PROFESSEUR AGASA...

AINSI, MÊME SI ON SUSPEND UN CORPS AU PRÉALABLE, PERSONNE NE SE REND COMPTE DE RIEN...

ET QUE J'AVAIS COUPÉ LA LUMIÈRE DE LA SALLE DE PROJECTION !

C'EST PARCE QUE J'AVAIS POSÉ UN MAGAZINE DEVANT LA FENÊTRE...

SI VOUS NE VOUS EN ÊTES PAS RENDU COMPTE...

EH, OH !

TAC

BON. GENTA ! MITSUHIKO ! AYUMI ! JE COMPTE SUR VOUS !

TAC

UN CORPS AU BOUT D'UNE CORDE NE PEUT PAS SE BALANCER TOUT SEUL QUAND MÊME !

D'APRÈS TOUS LES TÉMOIGNAGES, LE CORPS SE BALANÇAIT, NON ?

QUE...

À EUX TROIS, ILS CORRESPONDENT À PEU PRÈS AU POIDS D'UN ADULTE...

C'EST À TOI...

BIEN. AÏ...?

8

LA CLIMA-TISATION ~

LA...

TAC

JE L'EN-CLEN-CHE...

OUI, OUI...

SI ON RÈGLE AU PRÉALABLE LA DIRECTION ET LA PUISSANCE DE LA CLIMATISATION, ON PEUT ARRIVER À FAIRE BOUGER LÉGÈREMENT LE CORPS...

LA SALLE EST UNE GRANDE PIÈCE FERMÉE...

HEIN ?

AAAAH~

ON A COMPRIS LE TRUC POUR SUSPENDRE LE CADAVRE SANS ÊTRE VU ET LE FAIRE BOUGER MAIS N'OUBLIEZ-VOUS PAS UN POINT ESSENTIEL ?

PFT... DITES-MOI, MONSIEUR...

OUI...

N'EST-CE PAS, M. LE DIRECTEUR ?

IL SEMBLERAIT QUE L'AIR SOUFFLAIT JUSTEMENT PLUS FORT QUE D'HABITUDE À CE MOMENT-LÀ...

COMME ÇA CERTAINEMENT...

COMMENT AURAIS-JE PU PROJETER LE FILM JUSQUE-LÀ ?

S'ILS SE SUSPENDENT DÈS LE DÉBUT, L'OMBRE APPARAÎT ; ET D'UN AUTRE CÔTÉ, SI ON BOUCHE LA FENÊTRE AVEC UN MAGAZINE LA PROJECTION N'EST PAS POSSIBLE.

LA PROJECTION A LIEU PAR LA FENÊTRE DEVANT LAQUELLE LES ENFANTS ÉTAIENT PRÉALABLEMENT SUSPENDUS...

VOILÀ !

HEIN ?

OUI, COMME ÇA...

FLASH

COMME ÇA !

COMME ÇA...

COM-ME ÇA...

TIENS...

COMMENT A-T-IL FAIT ?!

NON...

IL A DÉCOUPÉ LE FILM EN DEUX ET FAIT MARCHER LES DEUX PROJECTEURS EN MÊME TEMPS...

LE VIEUX... IL N'AURAIT PAS...

IL FAUT QU'IL ARRÊTE !

TAP
TAP TAP

EN TOUT CAS...

C'EST UNE BOBINE IMPORTANTE QUE NOUS DEVONS RENDRE...

ÇA SUFFIT ! JE N'EN SUPPOR-TERAI PAS DAVAN-TAGE !!

BTAM

VOUS !! ÇA SUFFIT MAINTENANT !!!

2

SEUL LE PROJECTEUR DE DEVANT FONCTIONNE...

HEIN ?

CLAM CLAM

IL Y A QUEL- QUE CHOSE, NON ?

HM ?

REGARDEZ BIEN L'EXTRÉ- MITÉ DU PROJEC- TEUR...

ET EN PLUS, DANS L'AUTRE PROJECTEUR, IL N'Y A PAS DE BOBINE...

ALORS COM- MENT ?!

UN MIROIR ?!

C... C'EST...

11

LE FAISCEAU LUMINEUX SE REFLÈTE ET...

TAC

ET SI ON LE BOUGE UN PEU...

OUI... C'EST UN MORCEAU DU MIROIR CASSÉ DE LA PIÈCE D'À CÔTÉ...

SANS COUPER LA BOBINE, ET AVEC UN SEUL PROJECTEUR, ON PEUT CHANGER DE FENÊTRE DE PROJECTION...

ELLE SE RÉFLÉCHIT SUR L'ÉCRAN, ÉVITANT LE CORPS EN PASSANT PAR LA FENÊTRE...

ET SE DIRIGE VERS LE MIROIR QUE J'AVAIS FIXÉ AU PRÉALABLE SUR LA FENÊTRE DE SURVEILLANCE DE LA SALLE...

ET EN PLUS, DISPOSÉ AINSI, MÊME SI QUELQU'UN OUVRE LA PORTE, LE MIROIR EST CACHÉ PAR LE PROJECTEUR...

CAR POUR GÊNER LA PROJECTION, IL SE PLAÇAIT TOUJOURS JUSTE SOUS LE FAISCEAU DU PROJECTEUR...

LA PREUVE, C'EST QUE LES MÉGOTS ET LES CENDRES DE CIGARETTE DE M. HARUTA ONT ÉTÉ RETROUVÉS JUSTE EN DESSOUS DE CETTE FENÊTRE DE SURVEILLANCE...

BIEN SÛR, LE FILM ÉTAIT PROJETÉ PAR LA FENÊTRE DE SURVEILLANCE GRÂCE AU MIROIR...

PUIS, AU DÉBUT DE LA PROJECTION, VOUS ÊTES ALLÉ DANS LA SALLE DE RÉGLAGE DE LA CLIMATISATION ET VOUS AVEZ CHANGÉ LA DIRECTION ET LA PUISSANCE DE L'AIR...

VOUS AVEZ D'ABORD CHARGÉ MLLE TOMOSATO DE FAIRE DES COURSES AFIN D'AVOIR LE CHAMP LIBRE DANS LA BOUTIQUE...

VOILÀ COMMENT VOUS VOUS Y ÊTES PRIS, M. FURUHASHI...

C'EST VRAI, FURUHASHI ?

ENFIN VOUS ÊTES RETOURNÉ DANS LA SALLE DE PROJECTION, AVEZ ATTENDU QU'ON VOUS APPORTE VOTRE DÉJEUNER, ET AVEZ ENLEVÉ CE QUI OBSTRUAIT LA FENÊTRE DE PROJECTION... IL NE VOUS RESTAIT PLUS QU'À ENLEVER LE MIROIR QUI ÉTAIT ACCROCHÉ SUR LE PROJECTEUR...

VOUS ÊTES ENTRÉ DANS LA SALLE ET AVEZ ÉTRANGLÉ M. IMPUTA AVEC UNE CORDE PRÉPARÉE À L'AVANCE, ET L'AVEZ SUSPENDU DEVANT LA FENÊTRE DE PROJECTION NORMALE. TOUT ÉTAIT PRÊT !

CELA N'AVAIT PAS D'IMPORTANCE CAR M. FURUHASHI COMPTAIT, QUOI QU'IL ARRIVE, VOUS ENVOYER ACHETER DU THÉ...

MAIS C'ÉTAIT UN HASARD QUE J'OUBLIE D'ACHETER LE DÉJEUNER ET QUE JE SOIS OBLIGÉE DE SORTIR !

EN FAISANT LA DÉCOUVERTE DE CELLE-CI EN COMPAGNIE DE Mᴸˡᴱ TOMOSATO, VOUS AVIEZ UN ALIBI !

POUR QUE L'OMBRE DU CORPS APPARAISSE SUR L'ÉCRAN...

POUR QU'AUCUN SOUPÇON NE PÈSE SUR LE DIRECTEUR, IL A SUSPENDU LE CORPS, MANŒUVRE QUI NÉCESSITE UNE CERTAINE FORCE PHYSIQUE...

DE PLUS, S'IL TENAIT À CE QUE M. LE DIRECTEUR ASSISTE AUX SÉANCES, C'ÉTAIT POUR QU'IL SOIT TÉMOIN DE LA SCÈNE OÙ LE CORPS APPARAÎTRAIT SUR L'ÉCRAN...

13

LA PHOTO OÙ L'OMBRE APPARAÎT SUR L'ÉCRAN...

HEIN ?

SI VOUS NE ME CROYEZ TOUJOURS PAS, REGARDEZ SUR L'APPAREIL DE M. IDE...

N'EST-CE PAS PLUTÔT VOUS QUI AVEZ IMAGINÉ TOUT ÇA ?!

L'IMAGE EST FLOUE !!

L'IMAGE...

AINSI M. FURUHASHI N'A PAS PU RÉGLER À NOUVEAU L'OBJECTIF AVANT QUE LA LUMIÈRE SE RALLUME DANS LA SALLE...

CHANGER D'OBJECTIF PREND UN CERTAIN TEMPS, ET BIEN SÛR, LORSQU'ON LE CHANGE, L'IMAGE EST BROUILLÉE...

LES PROJECTEURS ACTUELS ONT DES OBJECTIFS SPÉCIFIQUES POUR CHAQUE SALLE !

OUI... C'EST LE SEUL DÉFAUT DE CE STRATAGÈME... AU MOMENT OÙ ON ENLÈVE LE MIROIR, LA DISTANCE ENTRE LE PROJECTEUR ET L'ÉCRAN CHANGE...

L'IMAGE DEVIENT FLOUE...

C'EST VRAI MAIS ICI SEULE L'IMAGE EST FLOUE. LE CONTOUR DE L'ÉCRAN, LE PUBLIC SONT NETS...

UNE IMAGE FLOUE ? CELA ARRIVE SOUVENT LORSQU'ON PREND UNE PHOTO ! MÊME D'UN OBJET IMMOBILE !

14

C'EST PARCE QUE...

C'EST...

LORSQUE VOUS AVEZ APPORTÉ LE DÉJEUNER DANS LA SALLE DE PROJECTION ET QUE VOUS AVEZ FAIT BOUILLIR DE L'EAU, POURQUOI AVEZ-VOUS EU BESOIN D'ALLER EXPRÈS AUX TOILETTES POUR CELA ?

DANS CE CAS, POURQUOI AVEZ-VOUS EU BESOIN D'ALLER AUX TOILETTES POUR ARRANGER VOTRE VERRE DE CONTACT ?

AH, MAIS J'Y PENSE ! QUAND L'OMBRE EST APPARUE, EN REGARDANT PAR LA FENÊTRE, J'AI TOUCHÉ AU PROJECTEUR ! C'EST SÛREMENT À CE MOMENT-LÀ QUE ÇA A BOUGÉ ET BROUILLÉ L'IMAGE...

M. FURU-HASHI

PARDON, YURIKO... TU TE DONNES TANT DE MAL, POUR MOI MAIS...

N'EST-CE PAS ?

PARCE QU'IL N'Y AVAIT PAS DE MIROIR DANS CETTE PIÈCE...

OUI... JE SUIS DÉSOLÉ DE VOUS AVOIR MIS DANS L'EMBARRAS...

ALORS, FURUHASHI, C'EST VOUS QUI...

MAIS JE NE POUVAIS PLUS LE SUPPORTER...

OUI... PLUSIEURS FOIS JE ME SUIS DIT QUE JE NE DEVRAIS PAS FAIRE UNE TELLE CHOSE ICI... MAIS...

JE PENSAIS POURTANT QUE TU AIMAIS CE CINÉMA...

MAIS COMMENT AS-TU PU FAIRE UNE CHOSE PAREILLE ICI...?

15

POUR QU'IL VOIE LUI AUSSI...

C'EST POUR CELA QUE JE L'AI SUSPENDU À CETTE FENÊTRE...

HIER, BIEN QUE NOUS ÉTIONS DIMANCHE, IL ÉTAIT LE SEUL SPECTA-TEUR...

MAIS À CAUSE DE CET HOMME... UN D'ABORD... PUIS DEUX... PUIS TROIS... TOUS S'EN ALLÈRENT...

CETTE PLACE PRIVILÉGIÉE OÙ ON POUVAIT VOIR LA RÉACTION DES SPECTA-TEURS...

J'ADORAIS LA VUE QU'ON AVAIT DE CETTE FENÊTRE DE SURVEIL-LANCE...

QU'IL RESSENTE LA SOLITUDE...

CE PAYSAGE TRISTE ET VIDE...

MON COMPORTEMENT ÉGOÏSTE A GÂCHÉ LE DERNIER JOUR DE CE CINÉMA...

JE SUIS VRAIMENT NAVRÉ, M. LE DIREC- TEUR...

MAIS UNE FOIS MORT, IL N'A CERTAINEMENT PLUS RIEN VU...

ON EN REPAR- LERA AU COMMIS- SARIAT...

LES PETITES SALLES COMME LA NÔTRE, QUI NE PEUVENT PAS DIFFUSER DE FILMS À LA MODE, FERMENT TOUR À TOUR...

AVANT MÊME QUE CET HOMME NE VIENNE, LE NOMBRE DE SPECTATEURS AVAIT DÉJÀ COMMENCÉ À DIMINUER...

HEIN ?

PEUT-ÊTRE QUE C'ÉTAIT SA DESTINÉE...

16

C'EST PAS VRAI !

C'EST PEUT- ÊTRE DÉMODÉ QUE DE VOULOIR VENDRE DU RÊVE AU CINÉMA...

AUJOURD'HUI TÉLÉS ET VIDÉOS SONT LARGEMENT DIFFUSÉES...

NON...

POUR NOS DERNIERS SPECTA-TEURS, ON NE POUVAIT PAS RÊVER MIEUX...

OOOOOOH~

C'EST DERRIÈRE, DERRIÈRE TOI !!

EH, GOMERA, OÙ REGARDES-TU ?

AAAAAAH ! SAUVE-TOI VITE !!

JE NE VENDS PLUS...

CE N'EST PAS FINI...

18

JE NE POURRAI PAS MOURIR EN PAIX...

J'AVAIS OUBLIÉ... COMBIEN MON CŒUR AVAIT BATTU LA PREMIÈRE FOIS QUE JE SUIS ALLÉ AU CINÉMA... CET ESPACE MULTICOLORE...

NE PAS CONFONDRE "VIVANT" ET "BRUYANT"... EUX SONT PLUTÔT DU DEUXIÈME GENRE...

TANT QUE JE N'AURAI PAS À NOUVEAU REMPLI CETTE SALLE AVEC DES SOURIRES COMME LES LEURS...

Dossier 4 : LE PLANIFICATEUR DE L'OMBRE

M...MAIS CE N'ÉTAIT PEUT-ÊTRE PAS LA PEINE DE LE TUER...

AVEC LA FORCE QU'A LE COURANT MARIN DANS CETTE RÉGION, IL SERVIRA DE NOURRITURE AUX POISSONS AVANT DE REMONTER À LA SURFACE...

PFT... KANÔ SAIZÔ "LE PLANIFICATEUR DE L'OMBRE" N'EST MAINTENANT PLUS QU'UNE ALGUE DANS LA MER...

T'INQUIÈTE PAS... ON A FINI LE GROS DU BOULOT, APRÈS CE N'EST PLUS QU'UNE QUESTION DE PATIENCE...

À PART ÇA, QU'EST-CE QU'ON FAIT ? L'ARGENT... SUR LES 400 MILLIONS, 300 SONT MARQUÉS, NON ?

LA POLICE CONNAIS-SAIT SON VISAGE...

IMBÉCILE... ON NE PEUT PAS LAISSER VIVRE EN LIBERTÉ UN TYPE QUI VEUT SE RENDRE PARCE QU'IL A TUÉ UN EMPLOYÉ DE BANQUE...

CHEF...

NE NOUS EN VOULEZ PAS...

C'EST L'INTEN-TION QUI COMPTE...

TE-NEZ...

FLE

FLE

FLE

TIP

TIP

HEIN ?

LA RÉPONSE EST SÛREMENT : "UN DISQUE" !!

UN DISQUE ! UN DISQUE !

BUREAU DU DÉTECTIVE MOURI

INFORMATION ÉVÉNEMENTIELLE

NOUS OFFRONS UNE "CROISIÈRE DES DAUPHINS" (3 JOURS ET 2 NUITS) À OGASAWARA AUX 10 PREMIÈRES PERSONNES QUI SE PRÉSENTERONT AVEC CE PRÉCIEUX OBJET QUI TEND À SE RARÉFIER !
DATE : 8 OCTOBRE À 17 HEURES
LIEU : PORT TEIMUZU
SIGNÉ : KANSAI ZOO

"UN OBJET QUE LA PLUPART DES JAPONAIS GARDAIENT PRÉCIEUSEMENT À L'ÉPOQUE DE L'ÈRE SHOWA*... LE POSSÉDEZ-VOUS ENCORE ?"

OUI ! ÇA !

ON PEUT ENCORE Y ALLER, ON A LE TEMPS !

ALLONS-Y, APPORTONS UN DISQUE !

UNE CROISIÈRE POUR VOIR DES DAUPHINS À OGASAWARA GRATUITEMENT ?

4

PFT... ARRÊTE ! ON NE VA PAS ALLER À CE TRUC D'ATTRAPE-NIGAUD...

ALLEZ ! ON Y VA ! IL Y A UN PONT CE WEEK-END ET ON N'A RIEN À FAIRE ! ALORS ?

EUH, OUI...

TOI AUSSI, CONAN, TU AS ENVIE DE VOIR DES DAUPHINS, NON ?

* ÈRE SHOWA (1926- 1988). POUR PLUS DE PRÉCISIONS RENDEZ-VOUS À LA FIN DE CE VOLUME DANS LES PAGES SUPPLÉMENTAIRES.

ENTRE NOUS, JE NE L'AI PAS ET JE NE L'AI JAMAIS EUE...

IDIOTE ! CE QUE LES JAPONAIS ONT PERDU AUJOURD'HUI MAIS QU'ILS AVAIENT AUTREFOIS, C'EST ÉVIDEMMENT "L'ÂME DE SAMOURAÏ" !

ALORS C'EST QUOI LA RÉPONSE ?

EN PLUS TA RÉPONSE EST FAUSSE ! S'IL S'AGISSAIT DU DISQUE, ILS N'AURAIENT PAS PRÉCISÉ: "LES JAPONAIS" !

EUH...

C'EST QUOI ÇA ?

AH ! JE SAIS : LES "LÉZARDS À COLLIER" ! ÇA C'ÉTAIT POPULAIRE !!

DES PRODUITS DE MARQUES ÉTRANGÈRES ? DES CONSOLES DE JEU ?

DANS CE CAS, LE YOYO ? LE PANTALON PATTE D'ÉPH ? LE THÉ AUX CHAMPIGNONS ...

CE NE SERAIT PAS...

LA RÉPONSE ...

5

LE PORT DE TEIMUZU...

BROUAA

BROUAA

CLAP

10 000 YENS

C'EST UN HASARD...

TU AVAIS RAISON, CONAN !

BIEN !

PERSONNE SUIVANTE !

MONTEZ À BORD...

BONNE RÉPONSE !

NE VOUS INQUIÉTEZ PAS, CE N'EST PAS UN OBJET QU'ON A L'HABITUDE D'AVOIR SUR SOI...

RANGE-LE VITE ! LES AUTRES POURRAIENT LE VOIR !

MAIS ON A BIEN FAIT DE GARDER PRÉCIEUSEMENT LES ANCIENS BILLETS !

6

PERSONNE SUIVANTE !

NON !

HEIN ? C'EST PAS LE RUBIX CUBE ?

DANS CE CAS LA SUITE N°10 VOUS CONVIEN-DRAIT-ELLE ?

OUI, EN QUELQUE SORTE...

TROIS PERSONNES... VOUS ÊTES EN FAMILLE ?

UN VA ALLER JUSQU'À OGASAWARA LÀ-DEDANS? C'EST PAS DÉPLAISANT !

WAOUH ! ON DIRAIT UN HÔTEL !

C'EST-À-DIRE... NOUS NE L'AVONS PAS ENCORE VU...

J'AIMERAIS LE REMERCIER DE NOUS OFFRIR LA CHANCE DE MONTER SUR UN TEL BATEAU...

EUH... OÙ EST LA PERSONNE QUI A ORGANISÉ CETTE CROISIÈRE, M. ZOO KANSAI ?

AH OUI...

JE PENSE QU'IL DOIT VOUS ATTENDRE À OGASAWARA...

ET L'ARGENT A ÉTÉ VERSÉ À LA BANQUE...

LA RÉSERVATION DE CE BATEAU AINSI QUE LA SÉLECTION DE SES PASSAGERS ONT ÉTÉ FAITES EXCLUSIVEMENT PAR TÉLÉPHONE...

7

AUJOURD'HUI CÉLÈBRE DÉTECTIVE...

EX-INSPECTEUR À LA BRIGADE CRIMINELLE...

JE SUIS KOGORO MOURI ET...

OUI...

POURRAIS-JE AVOIR VOS NOMS, S'IL VOUS PLAÎT ?

IL Y A DEUX ANS QUE JE SUIS À LA RETRAITE...

EH, OH ! FINI, LES "COMMIS-SAIRE"...

TÔJI SAMEZAKI. 62 ANS. ANCIEN COMMISSAIRE DE LA BRIGADE CRIMINELLE.

COMMISSAIRE SAMEZAKI !!

C'EST BIEN ÇA ?

MAIS QUE FAITES-VOUS ICI ?

OH ! RAN !? QUELLE BELLE JEUNE FILLE TU ES...

QUEL PLAISIR DE VOUS REVOIR !

VOILÀ PLUS DE DIX ANS QUE TU AS LAISSÉ TOMBER LA POLICE, IL EST NORMAL QUE TU NE T'EN SOUVIEN-NES PLUS...

HAHA HA !

POM

UN JOUR PARTI-CULIER ?

OUI, AUJOURD'HUI, C'EST UN JOUR PARTICULIER...

J'AI SIMPLEMENT EU ENVIE DE VOIR LA MER...

8

EUH...

PAPA ?!

C'EST PAS GRAVE...

SI...

NE ME DIS PAS QUE VOUS ÊTES TOUJOURS SÉPARÉS...?

MAIS DIS-MOI, QU'EST DEVENUE TA CHARMANTE ÉPOUSE ?

OUI ?

HM ?

TERUYOSHI KAMEDA.
45 ANS. PASSAGER.

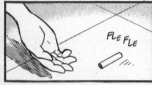

FLE FLE

AH...

FLE

ELIH... NON,
RIEN !

JE...
TE SUIS
DÉSO-
LÉ

UN
SCEAU

FLE

SALUT...

CE
N'EST
RIEN, CE
N'EST
RIEN...

?

NON
SEULE-
MENT
C'EST
TOI QUI
RAMAS-
SES SON
SCEAU
MAIS EN
PLUS
TU LE
REMER-
CIES...?

HEIN ?

JE VOUS
REMERCIE !

9

JE T'ATTENDAIS...

KOREHISA KANIE. 46 ANS. PASSAGER.

ALLONS POSER NOS AFFAIRES DANS NOS CABINES ET BOIRE UN VERRE SUR LE PONT.

BONNE IDÉE !

AH...

PFLIIIIT...

BOUM

10

NON ! ATTENDEZ ! ET LE VIEUX MONSIEUR QUI EST ARRIVÉ EN PREMIER ?! IL AVAIT OUBLIÉ QUELQUE CHOSE ET EST REPARTI LE CHERCHER. IL N'EST TOUJOURS PAS REVENU...

ALORS ON PEUT FAIRE PARTIR LE BATEAU ! EN PLUS, NOUS AVONS PRIS DU RETARD SUR L'HEURE CONVENUE...

SI ON NE COMPTE PAS LE PETIT QUI ACCOMPAGNE CE MONSIEUR, CELA FAIT 10 PASSAGERS... C'EST LE DERNIER !

OUI...

VOUS ÊTES SEUL, MONSIEUR ?

VOILÀ, MONSIEUR, LA CHAMBRE 7...

QUOI QU'IL EN SOIT NOUS SOMMES AU COMPLET ! DONC FAIS SAVOIR AUX PERSONNES QUI ATTENDENT DEHORS QU'ELLES PEUVENT RENTRER CHEZ ELLES.

EN-TEN-DU !

TAP·TAP

JE NE L'AI PAS VU RE-MON-TER...

SI, IL EST REVENU TOUT À L'HEURE ET IL A DIT : "JE VAIS FAIRE UN SOMME JUSQU'AU DÎNER, QU'ON NE ME DÉRANGE PAS"...

HEIN ?

ON NE S'EST PAS DÉJÀ RENCONTRÉS QUELQUE PART ?

DITES-MOI...

VOUS FAITES ERREUR SUR LA PERSONNE...

N... NON...

MINORU EBINA. 42 ANS. PASSAGER.

MÊME SI CELA NE SE VOIT PAS AU PREMIER COUP D'ŒIL...

OUI UN AUTRE DÉTEC-TIVE...

VOUS VOULEZ DIRE QU'IL Y A QUELQU'UN D'AUTRE À PART NOUS ?

TROIS ?

UNE AFFAIRE PEUT BIEN ÉCLATER SUR CE BATEAU, NOUS N'AVONS PAS DE SOUCI À NOUS FAIRE !! ENTRE LES ANCIENS POLICIERS ET LES DÉTECTIVES, NOUS AVONS TROIS SPÉCIALISTES DE L'ENQUÊTE...

I'M A KING OF THE WORLD !!*

* JE SUIS LE ROI DU MONDE !

ALLONS, ALLONS...

"TITANIC" MANIAQUE...

J'AVAIS ENVIE DE LE FAIRE UNE FOIS.

APRÈS, SI LE BATEAU COULE, TU FERAS MOINS LA MALIGNE...

QUOI DE PLUS NATUREL QUE D'AVOIR ENVIE DE CRIER DEVANT UN TEL PAYSAGE...

DEVANT CET OCÉAN AUX COULEURS DU SOLEIL...

SADAO KUJIRAI. 50 ANS. PASSAGER.

12

LA TRISTESSE DU PASSÉ... L'ANGOIS- SE DE L'AVENIR... ET...

C'EST VRAI... LA MER CACHE ET COUVRE TOUT...

ON Y OUBLIE TOUS SES SOUCIS !

C'EST BEAU, LA MER...

OUI, J'AI PERDU MON PÈRE EN MER AUTREFOIS...

AH, EXCUSEZ-MOI...

UNE DÉPOUILLE MORTELLE...!

MÊME UNE DÉPOUILLE MOR-TELLE...

HEIN ?

JE SAIS QUI C'EST !

NOUS DEVONS TOUS REMERCIER M. KANSAI QUI A ORGANISÉ CETTE CROISIÈRE...

NAGISA ISOGAI. 27 ANS. PASSAGÈRE.

IL VA SÛREMENT RÉVÉLER SON IDENTITÉ PENDANT LE DÎNER ET FAIRE UNE SURPRISE À TOUT LE MONDE, NON ?

M. KANSAI EST DONC SÛREMENT CELUI QUI POSSÈDE CE SCEAU !

ET J'AI PU Y LIRE "KANSAI" !

TOUT À L'HEURE, J'AI RAMASSÉ UN SCEAU, N'EST-CE PAS ?

Kansai

13

AH, OUI...

EH, MOURI ! LE DÎNER EST PRÊT !

NON...

J'AI ENTENDU SON NOM TOUT À L'HEURE ET IL S'APPELAIT KAMEDA.

C'EST ÉTRAN-GE...

OUI !

C'EST POUR ÇA QUE TU L'AS REMERCIÉ...

OOOH... VOUS ÊTES LE CÉLÈBRE...

TU NE SUPPORTES PAS LE BATEAU ? TU NE CHANGERAS JAMAIS...

BON, JE VAIS ME REPOSER DANS MA CABINE...

RAVI DE FAIRE VOTRE CONNAISSANCE...

OUI.

"MOURI L'ENDORMI"...

EN COMPTANT LES DEUX PASSAGERS QUI SE REPOSENT DANS LEUR CABINE, VOUS ÊTES AU TOTAL À PEINE DIX PASSAGERS...

C'EST TRISTE QU'IL Y AIT SI PEU DE PASSAGERS POUR UN SI GRAND BATEAU...

14

KANÔ SAIZÔ...

QUANT À SON NOM...

JE CROIS QU'IL FAIT DE LA RECHERCHE OCÉANIQUE...

IL NE PARLE PAS BEAUCOUP... QUE FAIT-IL DANS LA VIE ?

POUR CE QUI EST DU VIEUX MONSIEUR, JE L'AI CROISÉ DANS LE COULOIR TOUT À L'HEURE...

OUI...

LES DEUX PERSONNES ? CE SONT LE DÉTECTIVE ET LE VIEUX MONSIEUR ?

~~~

HM ?

CLIC

HOUP !

OUI...

ALLEZ ! OUVRE LA PORTE !

MOURI !! OCCUPE-TOI DU HAUT !!

OUI !!

ZUT ! PERSONNE ! JE VAIS VOIR EN BAS !

?!

VLAM

TAP

16

C'EST LOUCHE...

IL S'EST ENFERMÉ IMMÉDIA-TEMENT APRÈS ÊTRE MONTÉ À BORD...

C'EST CELLE DU DÉTECTIVE...

ET LA CABINE N°2 ?

SALLE DES MACHINES.

OÙ ES-TU ?

EH...

TOC

EEEH~

J'AI LU TA LETTRE !

HEIN ?

17

OUI...

PAS LE CHOIX ! OUVREZ...

RÉPONDEZ ?!

IL Y A QUELQU'UN ?!

BON

CLIC

VIN

VIN

VIN

BON

BON

Dossier 5 : LE DÉSIR DE MEURTRE S'ENFLAMME...

SON VRAI NOM EST KANÔ SAIZÔ ! IL EST L'AUTEUR RECONNU DE L'AFFAIRE DU VOL DES 400 MILLIONS IL Y A 20 ANS !!

JE ME SOUVIENS QUE QUAND J'ÉTAIS MÔME, MON PÈRE M'EN AVAIT PARLÉ... AUTREFOIS IL Y AVAIT UN TYPE QUI S'APPELAIT...

LE PLANIFI-CATEUR DE L'OMBRE ?

DANS CETTE AFFAIRE, IL Y A 20 ANS, IL A DISPARU APRÈS AVOIR TUÉ UN EMPLOYÉ DE BANQUE...

SA PARTICULARITÉ ÉTAIT QU'IL CHANGEAIT D'ÉQUIPIERS À CHAQUE COUP. C'ÉTAIT UN SOLITAIRE ET IL NE BLESSAIT JAMAIS PERSONNE...

SES PLANS ÉTAIENT PRÉCIS ET SANS FAILLE ! IL AVAIT PRIS HABILEMENT LA POLICE AU PIÈGE GRÂCE À UN RIDEAU DE FUMÉE. LES GENS L'APPELLENT "LE PLANIFICATEUR DE L'OMBRE" ...

2

IL N'EST PAS MORT...

UNE CHOSE M'ÉCHAPPE : MON PÈRE M'AVAIT DIT QU'IL ÉTAIT MORT DEPUIS LONGTEMPS... SA VESTE AVAIT ÉTÉ RETROUVÉE AVEC UN TROU DE BALLE, COUVERTE DE SANG, ÉCHOUÉE SUR UNE PLAGE...

OUI... QUAND NOUS SOMMES ENTRÉS, IL N'Y AVAIT PERSONNE... M. SAMEZAKI EST PARTI À SA RECHERCHE...

ET C'EST CE TYPE-LÀ QUI DORMAIT DANS LA CABINE À CÔTÉ ?

IL N'EST PAS LE GENRE D'HOMME À MOURIR DANS UN ENDROIT PAREIL...

LA VESTE N'ÉTAIT QU'UN SUBTERFUGE POUR TROMPER LA POLICE...

TÔJI SAMEZAKI. 62 ANS. ANCIEN COMMISSAIRE DE LA BRIGADE CRIMINELLE.

OUI... POUR KANÔ, C'EST TROP TARD... MAIS PAS POUR SES TROIS COMPLICES...

VOUS AVEZ OUBLIÉ ? POUR UN MEURTRE LA PRESCRIPTION C'EST 15 ANS, C'EST VRAI, MAIS POUR UNE AFFAIRE CIVILE, C'EST 20 ANS. DONC SI LA BANQUE RÉCLAME L'ARGENT, ILS DOIVENT LE RENDRE !

JE PENSAIS QU'IL ÉTAIT CACHÉ QUELQUE PART EN TRAIN DE COMPTER SES BILLETS AVEC SES COMPLICES... MAIS QUE JE LE RETROUVE ICI À BORD...

MAIS DEPUIS 5 ANS IL Y A PRESCRIPTION POUR CETTE AFFAIRE, NON ?

PEUT-ÊTRE QUE SES COMPLICES SONT À BORD...

SI ON CAPTURE KANÔ ET QU'ON LUI FAIT AVOUER OÙ SE TROUVENT SES COMPLICES, ON POURRA PEUT-ÊTRE RÉCUPÉRER L'ARGENT !

HEIN ?

JE T'AI DIT QUE NOUS ÉTIONS UN JOUR PARTICULIER...

IDIOT ! NOUS N'AVONS PAS LE TEMPS...

NOUS SOMMES EN PLEINE MER, ILS NE POURRONT PAS S'ÉCHAPPER COMME ÇA...

DANS CE CAS, UNE FOIS ARRIVÉS À OGASAWARA, METTONS LA POLICE LOCALE À CONTRIBUTION !

3

ALORS IL NE RESTE PLUS QUE DEUX HEURES...

CE SOIR À MINUIT, LEUR CAVALE SERA FINIE...

DEMAIN CELA FERA 20 ANS QUE CETTE AFFAIRE A EU LIEU...

TIENS, MAIS C'EST HEIJI !

POURQUOI ? ELLE DEVRAIT ? ELLE C'EST ELLE, MOI C'EST MOI.

ALORS KAZUHA EST AVEC TOI ?

OUI... JE DORMAIS DANS MA CHAMBRE QUAND IL M'A RÉVEILLÉ...

TOI AUSSI TU ÉTAIS À BORD, HEIJI ?

TAP

TAP

ÂQQ..

4

VOUS ?

HEIN ?

RIEN À VOIR AVEC VOUS QUI ÊTES INSÉPARABLES !

NOUS NOUS APPRÊTIONS À REPARTIR À SA RECHERCHE AVEC MOURI !

NON...

ET AU FAIT, VOUS L'AVEZ TROUVÉ ? LE "MACHIN" DE L'OMBRE...

MÊLE-TOI DE TES AFFAIRES !!

AH OUI, JE VOULAIS DIRE QUE VOUS ÊTES UNE FAMILLE TRÈS LIÉE !

QUOI ? TU VEUX QUE JE RESTE SEULE DANS MA CABINE, ALORS QU'UNE PERSONNE AUSSI TERRIBLE SE TROUVE QUELQUE PART SUR CE BATEAU ?

EUH ! NON, MAIS...

ATTENDS, NOUS DEVONS LES AIDER...

DANS CE CAS, NOUS ALLONS NOUS RENDRE AU RESTAURANT ...

AH, MAIS ...

PAPA !

ON VOUS ATTEND...

5

JE T'ATTENDS...

JE T'ATTENDS...

OUI !

AH... NON, CE N'EST RIEN...

ÇA NE VA PAS, COMMIS-SAIRE ?

...

JE T'ATTENDS, PAPA !!

OUI...

BON, PROCÉDONS PAR ORDRE : DU HAUT VERS LE BAS...

MAIS C'EST FOU...

6

SI JE SUIS SUR CE BATEAU, C'EST À CAUSE D'UNE DRÔLE DE LETTRE.

NON, NON !

TU N'ES PAS VENU ICI PARCE QUE TU AS VU L'ANNONCE DANS LE JOURNAL ?

UNE DRÔLE DE LETTRE ?

FLE

LES DAU-PHINS ?

JE NE PENSAIS PAS QUE TU AIMAIS LES DAUPHINS, HEIJI !

CRAC

IL ÉTAIT JUSTE INDIQUÉ "KANSAI ZOO" : AUCUNE ADRESSE POUR L'EXPÉDITEUR. QUANT AUX BILLETS, ILS ÉTAIENT TOUS ANCIENS... ET IL ÉTAIT ÉCRIT QUE SI JE LES MONTRAIS AU PERSONNEL DE BORD, ILS ME LAISSERAIENT MONTER...

OUI... IL Y A UNE SEMAINE, J'AI REÇU UNE ENVELOPPE CONTENANT 100 000 YENS EN LIQUIDE AVEC UNE LETTRE ME DEMANDANT DE VENIR À OGASAWARA CAR QUELQU'UN DÉSIRAIT ME CONFIER UNE AFFAIRE. MAIS C'EST ÉTRANGE...

NON... JE VEUX DIRE À M. MOURI DE M'ACCOMPAGNER, ALORS J'AI APPELÉ CHEZ VOUS MAIS IL N'Y AVAIT PERSONNE...

EN VÉRITÉ, QUAND JE SUIS ARRIVÉ À HANEDA*, JE VOULAIS PROPOSER À KUDO...

EN PLUS, L'AFFAIRE SEMBLAIT INTÉRESSANTE !

JE N'AI JAMAIS ÉTÉ PAYÉ POUR UNE AFFAIRE AUSSI JE SUIS VENU POUR LUI RENDRE L'ARGENT EN PERSONNE, ET C'EST POUR ÇA QUE JE SUIS MONTÉ À BORD !

TU AS SÛREMENT DÛ TÉLÉPHONER JUSTE APRÈS QUE NOUS SOMMES PARTIS !

C'EST POUR ÇA QUE JE ME SUIS EMBARQUÉ SEUL ET JE PIQUAIS UN SOMME QUAND M. MOURI M'A RÉVEILLÉ !

7

HM ?

ALORS C'EST VOUS, LE DÉTECTIVE ?

C'EST VRAI... ON DIT QUE LES LOUPS APPELLENT LES LOUPS, ET QUE LES DÉTECTIVES APPELLENT LES DÉTECTIVES ! PAS VRAI, PETIT ?

MAIS QUEL HASARD ! QUE NOUS NOUS RETROUVIONS SUR LE MÊME BATEAU !

HA HA HA ...

* HANEDA, NOM DE L'UN DES AÉROPORTS DE TOKYO QUI DESSERT ESSENTIELLEMENT LES VOLS INTÉRIEURS AUX DÉPART ET ARRIVÉE AUX ALENTOURS DE TOKYO.

NON. PAS ENCORE. JE CROIS QU'ILS LE CHERCHENT TOUJOURS...

ALORS ? VOUS AVEZ RETROUVÉ CE "KANÔ SAIZÔ" ?

CLIC

CLIC

OUI !

VOUS ÊTES BIEN JEUNE...

NAGISA ISOGAI. 27 ANS. PASSAGÈRE.

SALUT...

SADAO KUJIRAI. 46 ANS. PASSAGER.

DES ALLU-METTES ?

KOREHISA KANIE. 46 ANS. PASSAGER.

CLOU

MINORU EBINA. 42 ANS. PASSAGER.

ME... MERCI...

PSHT

VOUS N'AVEZ RIEN À FAIRE, NON ?

VOUS VOULEZ JOUER AUSSI ?

JE VAIS CHERCHER UN JEU DE CARTES DANS MA CABINE...

ET SI ON JOUAIT AU POKER ?

EH ! MOURI, TU L'AS TROUVÉ ?

9

JE NE RENONCERAI PAS...

MOU-RI...

ZUT... DANS MOINS D'UNE HEURE...

OÙ... OÙ A-T-IL PU PASSER ?!

NON, NULLE PART...

BIEN...

OUI...

JAMAIS !!!

POUR CETTE AFFAIRE, JUSQU'À LA DERNIÈRE MINUTE, JUSQU'À LA DERNIÈRE SECONDE...

FULL !

TADAAAAN

AH, NON... C'EST JUSTE QUE DEMAIN EST UN JOUR IMPORTANT...

DEPUIS UN PETIT MOMENT, VOUS AVEZ L'AIR BIEN PERTURBÉ PAR L'HEURE, QUELQUE CHOSE NE VA PAS ?

MINUIT MOINS CINQ...

SAVEZ-VOUS QUELLE HEURE IL EST ?

EUH...

HI HI...

C'EST ENCORE TOI QUI GAGNES...

CE COCKTAIL, C'EST UN BLOODY MARY, NON ?

HEIN ?

CE NE SERAIT PAS L'ANNIVER-SAIRE DE LA MORT DE VOTRE FIANCÉE ?

10

CLAC

AH ! PAPA ! VOUS L'AVEZ TROUVÉ ?

NON... ABSOLU-MENT PAS...

NE ME DITES PAS QUE C'EST LE JOUR OÙ EST MORTE VOTRE BELLE PRINCESSE... ?

DANS CE CAS, NOUS LAISSERONS LES CARTES DANS CE BOÎTIER SUR CETTE TABLE...

DE MÊME.

BON, JE VAIS ARRÊTER.

TIENS ? OÙ EST PASSÉ L'ANCIEN COMMISSAIRE ?

NON... NULLE PART.

BAM

MOI AUSSI...

IL VEUT CHERCHER JUSQU'À LA DERNIÈRE LIMITE...

TIENS ?

ALORS, DEUX MARTINI...

JE VOUS DOIS COMBIEN POUR LES BOISSONS ?

JE L'AI TROUVÉ DANS LE COULOIR ALORS JE L'AI RAMASSÉ...

AH, SI !

VLAN

CE NE SERAIT PAS ÇA ?

AAH...

JE... JE N'AI PLUS MON PORTE-FEUILLE...

11

NON, JE VAIS JUSTE AUX TOILETTES... JE REVIENS TOUT DE SUITE...

VOUS ARRÊTEZ AUSSI, M. KUDIRAI ?

DE... DÉSOLÉ, UNE VÉRIFICATION MACHINALE...

CLAP

EH, OH ! JE N'AI RIEN VOLÉ...

FLE FLE

CLic

CLic

CLic

CLic

CLic

CLic

CLic

VLAM

LA LIMITE
DE TEMPS
EST
DÉPASSÉE
...

JE NE
PEUX
PLUS
RIEN
POUR
CETTE
AFFAIRE
...

VLAM

ET PAR
CONSÉQUENT,
J'AURAIS
OUTREPASSÉ
MES DROITS
MAIS...

JE NE SUIS
PLUS FLIC
DEPUIS
DEUX ANS...

12

DIS-MOI, JE VEUX
BIEN CROIRE QUE
CETTE AFFAIRE ÉTAIT
LA SIENNE, ET QU'IL LUI
TENAIT À CŒUR DE LA
RÉSOUDRE MAIS TU NE
TROUVES PAS QU'IL
Y ATTACHE TROP
D'IMPORTANCE ?

OUI...

ALLEZ,
MOURI, BOIS !
AUJOURD'HUI
C'EST MA
TOURNÉE !

CLAC

Si...

HAHA

LE DRAPEAU BRÛLE...

J'X X
VOOOON

?!

J'X X
VOOOOM

QU'EST-CE QUE C'EST QUE ÇA ?!

QUE...

L'EMPERE DES MERS POSÉIDON REÇOIT LA VIE ET SON OMBRE RENAÎT.

10000

HM ?

IL Y A EU COMME UN BRUIT DE FEU D'ARTIFICE...

QUE S'EST-IL PASSÉ ?

14

"L'EMPEREUR DES MERS POSÉIDON REÇOIT LA VIE ET SON OMBRE RENAÎT"...

IL Y A UN MOT SUR UN BILLET DE 10 000 YENS !!

Dossier 6 :
UNE CIBLE INATTENDUE

NON...

IMPOSSIBLE D'IDENTIFIER LA VICTIME OU ENCORE DE CONNAÎTRE L'HEURE EXACTE DU CRIME...

IL EST CARBO-NISÉ...

ZUT...

2

CE NE SERAIT PAS M. KANIE ?

PAS DE CONCLU-SIONS HÂTIVES...

MAIS IL EST POSSIBLE QUE CE CORPS SOIT CELUI DE KANÔ SAIZÔ QUI RESTE INTROUVABLE SUR CE BATEAU...

JE LUI AI DEMANDÉ L'HEURE ET IL ME SEMBLE BIEN QUE SA MONTRE ÉTAIT IDENTIQUE À CELLE-CI : TOUT EN OR...

OUI... LA MONTRE QU'IL PORTE...

HM ?

PAREIL POUR LE PANTALON...

MAIS OUI... À BIEN Y REGARDER, CE PULL, MÊME S'IL A PRESQUE TOTALEMENT BRÛLÉ, A TOUT L'AIR D'ÊTRE CELUI QUE PORTAIT M. KANIE...

MAIS C'EST RISIBLE...

PFT...

MAIS POURQUOI M. KANIE ?

3

C'EST LE DURCISSEMENT THERMIQUE...

AH, ÇA...

ON DIRAIT QU'IL SOULÈVE SON CORPS POUR QU'ON VOIE SA MONTRE, VOUS NE TROUVEZ PAS ?

OUI, REGARDEZ LA POSE DE CE CADAVRE...

RISIBLE ?

POUR LES MUSCLES DES BRAS ET DES JAMBES, LA MASSE MUSCULAIRE EST SUPÉRIEURE À LA CAPACITÉ D'ÉTIREMENT... C'EST POUR CETTE RAISON QUE LES ARTICULATIONS SE REPLIENT ET DONNENT UNE POSTURE PARTICULIÈRE AU CORPS : CELLE D'UN BOXEUR PRÊT AU COMBAT...

LORSQU'UN CORPS BRÛLE... LES MUSCLES PRENANT APPUI SUR LES OS SE RÉTRACTENT AVEC LA CHALEUR, SE SOLIDIFIENT ET SUBISSENT UN DURCISSEMENT THERMIQUE !

LA MONTRE ?

LE PROBLÈME RÉSIDE PLUTÔT DANS LA MONTRE EN ELLE-MÊME !

AH BON....?

EN SOMME, LE CADAVRE A PRIS CETTE POSE DE LUI-MÊME !

IL EST DÉTACHÉ, NON ?

REGAR-DEZ CE BRACE-LET...

4

OUI... LORSQUE NOUS ÉTIONS À LA RECHERCHE DE KANÔ, LE COMMISSAIRE ET MOI, ELLE Y ÉTAIT ENCORE ! ELLE PORTAIT L'INSCRIPTION "ÉCHELLE DE SECOURS" !

UNE BÂCHE EN PLASTI-QUE ?

CERTAINEMENT... MÊME LA BÂCHE EN PLASTIQUE QUI COUVRAIT CETTE BOÎTE S'EST ENVOLÉE...

IL A DÛ SE DÉTACHER LORS DE L'EXPLOSION DE LA BOUTEILLE D'ESSENCE QUI ÉTAIT DANS CETTE BOÎTE AVEC LE CORPS !

EH, MOUNI...

...

DE TOUTE MANIÈRE, À CE MOMENT, CETTE BOÎTE ÉTAIT VIDE, C'EST CERTAIN... EN EFFET QUAND JE SUIS RETOURNÉ AU RESTAURANT APRÈS AVOIR RENONCÉ À RETROUVER KANO, J'Y AI VU M. KANIE...

NON, CETTE BÂCHE ÉTAIT MAINTENUE PAR UNE CORDE DE L'EXTÉRIEUR, ON S'EST DONC DIT QUE PERSONNE NE POUVAIT S'Y ÊTRE CACHÉ...

ET VOUS AVEZ VÉRIFIÉ LE CONTENU À CE MOMENT-LÀ ?

ÉCHELLE DE SECOURS

IL S'APPELLE HEIJI HATTORI ! C'EST LE FILS DU PRÉFET D'OSAKA...

D'OÙ IL SORT, CE PETIT JEUNE ?

OUI... JE LE CONNAIS GRÂCE AU KENDO. NOUS AVONS SOUVENT FAIT DES MATCHS ENSEMBLE...

VOUS CONNAISSEZ LE PRÉFET ?

JE COMPRENDS MIEUX POURQUOI IL A L'AIR DE CONNAITRE LE MÉTIER...

OOH ! C'EST LE FILS DE HEIZÔ !

5

C'EST ?!

MAIS...

REGARDE CE TRUC ÉTRANGE SUR LE VISAGE...

HM ?

EH, HEIJI...

C'EST LE FILS DE HEIZÔ !

JE NE LUI ARRIVAIS PAS À LA CHEVILLE MAIS...

ON A DU MAL À LE VOIR PARCE QU'IL A BRÛLÉ, MAIS IL N'Y A PAS DE DOUTE, IL S'AGIT D'UNE PARTIE QUE L'ON UTILISE POUR LE NEZ LORS DES OPÉRATIONS CHIRURGICALES !!

OUI... C'EST DU POLYMÈRE DE SILICIUM ET D'OXYGÈNE... PLUS CONNU SOUS LE NOM DE SILICONE !

C'EST DU SILICONE, NON ?!

DANS CE CAS, IL Y A DE FORTES CHANCES QUE M. KAMEDA AVEC QUI IL S'ENTENDAIT BIEN, SOIT AUSSI UN DES COMPLICES...

SI CE CORPS EST BIEN CELUI DE M. KANIE...

OUI... IL FAISAIT PEUT-ÊTRE PARTIE DES QUATRE BANDITS EN CAVALE DANS L'AFFAIRE DES 400 MILLIONS...

DE LA CHIRURGIE ESTHÉTIQUE FACIALE ? IL AVAIT CHANGÉ SON VISAGE... ÇA VOUDRAIT DIRE QUE...

DANS CE CAS... L'AUTRE...

ON SE CROIRAIT À DES RETROUVAILLES D'ANCIENS AMIS AYANT SUBI UNE OPÉRATION DE CHIRURGIE ESTHÉTIQUE...

6

MAIS CE QUI ME PRÉOCCUPE...

OUI... SON COMPORTEMENT N'ÉTAIT PAS NORMAL LORSQUE M. KANIE LUI A OFFERT DU FEU...

PEUT-ÊTRE M. KUJIRAI...

C'EST CERTAINEMENT CELUI QUI SE TIENT AU FOND ET QUI ESSUIE SES SUEURS FROIDES DEPUIS TOUT À L'HEURE...

"L'EMPEREUR DES MERS POSEIDON REÇOIT LA VIE ET SON OMBRE RENAÎT"... C'EST CE QUI ÉTAIT ÉCRIT...

DE TOUTE ÉVIDENCE, C'EST CE BILLET FIXÉ SUR LE PONT AVEC UN COUTEAU QUI LUI A FOUTU LA TROUILLE !

ALORS... IL ÉTAIT VIVANT... IL ÉTAIT DONC VIVANT...

C'EST CE QU'IL A DIT SUR LE PONT...

"RENAÎTRE" SIGNIFIERAIT QU'IL A DÉJÀ ÉTÉ TUÉ UNE FOIS QUELQUE PART !

"L'OMBRE" DÉSIGNE À COUP SÛR "LE PLANIFI-CATEUR DE L'OMBRE", KANÔ SAIZÔ...

L'EMPEREUR DES MERS POSEIDON REÇOIT LA VIE ET SON OMBRE RENAÎT.

MAIS PLUSIEURS CHOSES M'ÉCHAPPENT... QUE CE SOIT L'IDENTITÉ DE CE VIEUX, QUI RESTE INTROUVABLE OU ENCORE LA RAISON POUR LAQUELLE LES COMPLICES SE RETROUVENT SUR CE BATEAU LE JOUR DE LA PRESCRIPTION DE LEUR CRIME...

VOILÀ QU'EN PLUS, UN VIEIL HOMME SE FAISANT APPELER KANÔ SAIZÔ EST RÉAPPARU SUR CE BATEAU...

MA MAIN À COUPER QU'IL A ÉTÉ TUÉ PAR SES TROIS COMPLICES...

7

EN LE SECOUANT UN PEU, ÇA DEVRAIT LUI RAFRAÎCHIR LA MÉMOIRE. QU'EN DIS-TU ?

OUI...

QUOI QU'IL EN SOIT, LE VIEUX DÉTIENT CERTAINE-MENT QUELQUES RÉPONSES...

ET L'AUTEUR DE CETTE ANNONCE ? CE "ZOO KANSAI" M'INTRIGUE TOUT AUTANT... SERAIT-CE LE VRAI NOM DE L'UN DES TROIS COMPLICES ? À MOINS QUE...

TOUT ÇA PAR L'INTER-MÉDIAIRE D'UNE ÉTRANGE ANNONCE DANS LE JOURNAL...

...UN DA...

...OO... 10 PREMI... QUI SE PRÉSENT...RONT AVEC CE PRÉCIEUX OBJET QUI TEND À SE RARÉFIER ! DATE : 8 OCTOBRE À 17 HEURES LIEU : PORT TEIMUZU SIGNÉ : KANSAI ZOO

J'AI... J'AI DIT ÇA, MOI ?

VOUS L'AVEZ DIT POURTANT SUR LE PONT : "IL EST VIVANT" !!

COMMENT ?! VOUS NE VOUS EN SOUVENEZ PAS ?!

RESTAURANT

PAS DE PLAISAN-TERIE !!

BOUM

JE... JE NE SAIS RIEN...

JE... JE NE SAIS PAS...

"IL" C'EST KANÔ SAIZÔ, N'EST-CE PAS ?

ALLEZ, CRACHE LE MORCEAU ET TU TE SENTIRAS MIEUX APRÈS...

8

ET ? ALORS ?

CLAC

COMMISSAIRE ! J'AI RECUEILLI LES TÉMOIGNAGES DE L'ÉQUIPAGE !

C'EST MAL BARRÉ...

AAFGH

JE NE SAIS RIEN...

À L'EXCEPTION DES PASSAGERS, I.E. CAPITAINE ET L'ÉQUIPAGE FONCTIONNAIENT TOUS AU MINIMUM PAR GROUPES DE DEUX. LEURS ALIBIS SONT DONC IRRÉPROCHABLES !

OUI... AU MOMENT DE L'EXPLOSION À L'ARRIÈRE DU BATEAU, LORSQUE LE FEU A PRIS DANS LA CAISSE OÙ ÉTAIT M. KANIE...

N'Y A-T-IL PAS QUELQU'UN D'AUTRE ?

BREF, JE NE VOIS QUE KANÔ SAIZÔ QUI RESTE INTROUVABLE DEPUIS LE DÉPART DU BATEAU...

EN RÉSUMÉ, APRÈS AVOIR ENTENDU UN BRUIT QUI POURRAIT ÊTRE CELUI D'UN COUP DE FEU, NOUS AVONS ACCOURU VERS LE PONT SUPÉRIEUR ET C'EST LÀ QUE S'EST PRODUITE L'EXPLOSION. CELUI QUI A MIS LE FEU NE SE TROUVAIT DÉJÀ PLUS SUR LE PONT SUPÉRIEUR À CE MOMENT-LÀ...

9

MOI AUSSI !

JE VOUS ACCOMPAGNE !

EUH... OUI !

DANS CE CAS, ALLEZ JUSQU'À SA CABINE ET RAMENEZ-LE ICI !!

OUI, M. KAMEDA EST RETOURNÉ DANS SA CABINE PARCE QU'IL NE SE SENTAIT PAS BIEN... LUI NON PLUS, ON NE L'A PAS VU DEPUIS UN MOMENT...

C'EST VRAI...

M. KAMEDA ?

M. KAMEDA ?

TOC

TOC

PLUS ON EST NOMBREUX, PLUS C'EST RASSURANT...

PFT... ÉTAIT-CE VRAIMENT NÉCESSAIRE DE TOUS M'ACCOMPAGNER ?

BON, PRÉVENONS VITE M. SAMEZAKI...

APPAREMMENT IL N'EST PAS LÀ...

TAC

CE N'EST PAS FERMÉ À CLÉ...

ÇA ALORS...

N'EST-CE PAS, HEIJI...?

10

OÙ ÊTES-VOUS ?!

MAIS ?!

CLAM CLAM

TAP TAP TAP

HEIJI ! CONAN ?!

ET UNE ÉTRANGE LETTRE !

DES TRACES DE SANG SUR LE SOL, UNE DOUILLE...

OUI... DANS LA SALLE DES MACHINES

ALORS ? TU AS TROUVÉ QUELQUE CHOSE ?

J'AI TROUVÉ UN MYSTÉRIEUX BOUT DE PAPIER TOUT FROISSÉ !

QUANT À MOI, DANS LA POUBELLE DES TOILETTES POUR HOMMES PRÈS DE L'ENTRÉE DU RESTAURANT...

CLAMP

TOUT COMME TA LETTRE, LA MIENNE AUSSI A ÉTÉ TAPÉE À LA MACHINE...

ET TON BOUT DE PAPIER ?

AUCUN DOUTE QUE CETTE PERSONNE A ÉTÉ APPELÉE DANS LA SALLE DES MACHINES, TUÉE PUIS MISE DANS CETTE BOÎTE...

ET D'APRÈS LE TROU DANS LE FRONT DE LA VICTIME...

UNE DOUILLE ET DU SANG...

"JE T'ATTENDS DANS LA SALLE DES MACHINES. ZOO KANSAI" VOILÀ CE QUE DIT LA LETTRE QUE J'AI TROUVÉE...

OUI...

DEUX MEMBRES D'ÉQUIPAGE L'ONT VU. LE VISAGE BLÊME, IL LEUR A DIT : "EH ! JE SUIS LÀ", IL ÉTAIT MINUIT PASSÉ...

QU'EST-CE QUI TE FAIT DIRE QUE C'EST M. KUJIRAI ?

C'EST LA PREUVE QUE QUELQU'UN A APPELÉ CE KUJIRAI !

"RETROU-VONS-NOUS À L'ARRIÈRE DU BATEAU. ZOO KANSAI" !

ET IL S'EST EMPRESSÉ DE RETOUR-NER AU RESTAU-RANT...

NE DITES À PERSONNE QUE JE SUIS VENU ICI...

ILS LUI ONT ADRESSÉ LA PAROLE ET IL A EU L'AIR TRÈS SURPRIS...

BREF, LE COUPABLE A FAIT RETENTIR UN COUP DE FEU SUR LE PONT SUPÉRIEUR ET PENDANT QUE TOUT LE MONDE ÉTAIT EN HAUT, IL EN A PROFITÉ POUR METTRE LE FEU...

IL N'Y AVAIT PAS NON PLUS DE DÉCLEN-CHEUR AUTOMA-TIQUE...

LA BOÎTE BRÛLAIT DÉJÀ À CE MOMENT-LÀ ?

NON PAS ENCO-RE !

LES DEUX EMPLOYÉS ONT ATTENDU PENSANT QUE QUELQU'UN ALLAIT VENIR, MAIS FINALEMENT PERSONNE N'EST VENU. C'EST AU MOMENT OÙ ILS S'APPRÊTAIENT À RETOURNER À LEUR POSTE QU'ILS ONT ENTENDU LES COUPS DE FEU SUR LE PONT SUPÉRIEUR !

12

J'AI MA PETITE IDÉE SUR L'IDENTITÉ DU COUPABLE... CE N'EST PLUS QU'UNE QUESTION DE TEMPS...

RESTE UN PROBLÈME : EST-IL POSSIBLE DE VENIR JUSQU'ICI APRÈS AVOIR TIRÉ UN COUP DE FEU SUR LE PONT SUPÉRIEUR...

OUI... IL S'EN EST FALLU DE PEU QUE LUI AUSSI FINISSE CARBONISÉ...

DANS CE CAS... L'ATTITUDE DE M. KUJIRAI EST NORMALE...

S'IL EST MONTÉ SUR LE BATEAU, DESCENDU, PUIS REVENU SANS QUE PERSONNE NE L'AIT VU...

COMMEN-ÇONS PAR CE VIEUX QUI SE FAIT APPELER KANO SAIZO...

DANS CE CAS, IL NE NOUS RESTE QU'À COMPARER NOS CONCLUSIONS !

AH BON ? TOI AUSSI ?

ÇA, ÇA SENT, À PLEIN NEZ...

OUI ! ET LÀ CE QU'IL FAUT RETENIR...

RESTENT DEUX PERSONNES SUSCEPTIBLES D'AVOIR COMMIS LE CRIME...

LE COUP MONTÉ !!!

C'EST LA PREUVE QUE LORSQU'IL A MIS LE CORPS DANS LA BOÎTE, IL L'A CALÉ SUR LE BAS DE LA CAISSE ET LUI A ÉTIRÉ LES BRAS VERS LE HAUT !

C'EST QUE LE COUDE DU CADAVRE CALCINÉ, DURCI PAR LA CHALEUR, ÉTAIT TOTALEMENT REPLIÉ AU NIVEAU DU VISAGE !

13

JE TE RENVOIE LA QUESTION !? C'EST JUSTEMENT ÇA L'ASTUCE DU MEURTRIER...

HEIN ? QU'EST-CE QUE TU RACONTES ? ET CETTE MONTRE ALORS ?

MAIS EN RÉALITÉ, QUELQU'UN VEUT NOUS FAIRE CROIRE QUE C'EST CETTE PERSONNE QUI A ÉTÉ TUÉE ! ALORS QU'IL SE CACHE QUELQUE PART EN SE FAISANT PASSER POUR MORT...

JE NE VOIS QU'UNE PERSONNE POUR FAIRE ÇA !

DEPUIS LA PREMIÈRE FOIS OÙ NOUS NOUS SOMMES RENCONTRÉS...

OUI...

IL Y AVAIT LONGTEMPS QUE NOS ANALYSES N'AVAIENT PAS ÉTÉ DIFFÉRENTES...

ÇA DEVIENT INTÉRESSANT...

MAIS NON ! JE TE DEMANDE DE LA REMETTRE À SA PLACE !

TU VEUX QUE J'ARRANGE CETTE MONTRE QUI EST COMPLÈTEMENT CALCINÉE ?

HEIN ?

AH ! AU FAIT, ARRANGE ÇA, S'IL TE PLAÎT !

EH... ATTENDS, ATTENDS...

NOUS VERRONS BIEN QUI DE NOUS DEUX EST DANS LE VRAI !

14

AH, BON...

104

DÉGAGEZ DE LÀ ! JE VAIS LE TROUVER, MOI, VOUS ALLEZ VOIR !!

IMBÉCILES ! VOUS CROYEZ QUE LES GENS DISPARAISSENT SI FACILEMENT ?!

NON... NOUS L'AVONS UN PEU CHERCHÉ MAIS...

QUOI ?! M. KAMEDA N'ÉTAIT PAS DANS SA CABINE ?!

ÇA NON...

JE VAIS VOUS DEMANDER DE BIEN VOULOIR PATIENTER ICI ENCORE QUELQUE TEMPS...

DANS CE CAS, J'Y VAIS AUSSI...

ATTENDEZ ! EN AGISSANT AINSI VOUS COUREZ UN GRAND DANGER !

M... MOI AUSSI...

MOI AUSSI ALORS...

JE SUIS DÉSOLÉE MAIS JE VAIS ME REPOSER DANS MA CABINE...

UN DÉTECTIVE ET UN ANCIEN COMMISSAIRE... DE QUEL DROIT NOUS GARDERIEZ-VOUS ICI ?

MAIS...

OUI... OUI...

N'EST-CE PAS ?

NE VOUS INQUIÉTEZ PAS, CHACUN EST CAPABLE DE SE PROTÉGER !

HM ?

IL DOIT ÊTRE CACHÉ DANS UN ENDROIT PEU EN VUE...

SI JE NE ME SUIS PAS TROMPÉ...

IL DOIT Y ÊTRE !

NON...

BON

AGH...

UN ENDROIT PAS ACCESSIBLE À TOUS... OU ENCORE UN ENDROIT QU'ON NE VOIT PAS...

OUI ! VOUS EN CON- NAIS- SEZ, NON ?

UNE BONNE CACHETTE ?

16

COMMENT ? TU NE L'AS PAS VU ?

ET HEIJI ?

TOI ! MONSIEUR SE BALADE ALORS QUE RÔDE UN MEURTRIER !!

MAIS OUI, PETIT...

AH, MAIS...

TU POURRAIS TOMBER, TU SAIS...

C'EST DANGE-REUX, PETIT !

EH !

ON NE PEUT STRICTE-MENT RIEN FAIRE...

ICI C'EST LE GRAND LARGE...

POUR UN HOMME QUI TOMBE EN PLEINE MER...

5

MAIS OUI !

PFT ! LUI TU SAIS... IL DOIT ÊTRE ENCORE EN TRAIN DE CHERCHER DES INDICES QUELQUE PART !

MAIS HEIJI A DISPA-RU...

MAIS ENFIN, QU'EST-CE QUE TU FAIS ?

CONAN !

YO-SHI-MI...

YO...

...

NE T'INQUIÈTE PAS ! IL RÉAPPARAÎTRA TOUT À L'HEURE...

NON... VOTRE VOIX RESSEMBLE À CELLE D'UNE AMIE...

HEIN ?

OUI, UN PENDENTIF...

UN OBJET PERDU ?

ELLE NOUS A DEMANDÉ DE VENIR L'AIDER À CHERCHER UN OBJET PERDU...

ET VOUS TROIS ? QUE FAITES-VOUS LÀ...?

6

HEIN ?

AH, NE SERAIT-CE PAS UN PENDENTIF AVEC UNE PHOTO...?

COMME ILS AVAIENT L'AIR DE N'AVOIR RIEN À FAIRE, JE LEUR AI DEMANDÉ DE M'AIDER... À TROIS ON A PLUS DE CHANCE DE TROU-VER...

JE ME SUIS RENDU COMPTE QUE JE NE L'AVAIS PAS AU MOMENT OÙ J'ALLAIS ME COUCHER, JE LE CHERCHAIS PARTOUT QUAND JE LES AI CROISÉS...

POURQUOI TU NE LUI AS PAS RENDU DE SUITE ?

OUI...

ALORS LA PETITE FILLE SUR LA PHOTO C'EST VOUS, Mme NAGISA ? ET LE MONSIEUR QUI VOUS PORTE, VOTRE PÈRE ?

AAH ! C'EST ÇA... J'AI DÛ LE FAIRE TOMBER QUAND J'Y ÉTAIS EN FIN D'APRÈS-MIDI...

LA CHAÎNE ÉTAIT CASSÉE. JE L'AI TROUVÉ SUR LE PONT ARRIÈRE DU BATEAU...

JE COMPTAIS DEMANDER À QUI IL ÉTAIT AU MOMENT DU DÎNER MAIS J'AI OUBLIÉ !

ÇA AURAIT TRÈS BIEN PU ÊTRE QUELQU'UN D'AUTRE SUR LA PHOTO, NON ?

PARCE QU'IL Y A UN TROU AU NIVEAU DU VISAGE DU PÈRE.

DE TOUTE MANIÈRE, CETTE PHOTO A PLUS DE 20 ANS...

CE N'EST RIEN...

JE SUIS DÉSOLÉE... C'ÉTAIT UN PEU INDISCRET DE MA PART DE DIRE QU'IL Y AVAIT UN TROU...

7

COMME SOUVENIR DE MON DÉFUNT PÈRE...

C'EST TOUT CE QU'IL ME RESTE...

EUH, MAIS... ILS VOULAIENT SE REPOSER DANS LEUR CABINE...

MOURI !! POURQUOI LES AS-TU LAISSÉ SORTIR DU RESTAURANT ?!

VOUS VOUS BALADEZ ALORS QU'ON A UN CRIMINEL À BORD !?

VOUS ÊTES INCONSCIENTS OU QUOI ?!

COMMENT ?!

ET NOUS N'AVONS PAS DAVANTAGE ENVIE DE TENIR COMPAGNIE À UN VIEIL HYSTÉRIQUE !

EXACTEMENT ! NOUS N'AVONS PAS D'ORDRES À RECEVOIR DE VOUS...

IL SERAIT PLUS PRUDENT QUE NOUS RESTIONS TOUS ENSEMBLE. QU'EN DITES-VOUS ?

S'ÉPARPILLER N'EST PEUT-ÊTRE PAS LA MEILLEURE IDÉE, NON ?

AH, MAIS...

SI VOUS ESTIMEZ QU'IL EST DANGEREUX DE RESTER SEUL, JE PRÉFÈRE ENCORE M'ENFERMER À CLÉ DANS MA CABINE ET JOUER AUX CARTES AVEC CES JEUNES JUSQU'AU PETIT MATIN !

8

QUOI QU'IL EN SOIT, ÉVITEZ DÉSORMAIS DE VOUS DÉPLACER SEULS...

ZUT ! QU'EST-CE QUI SE PASSE SUR CE BATEAU ?

QUOI ?! LE FILS DE HEIZÔ AUSSI A DISPARU ?

ET HATTORI ? VOUS NE L'AVEZ PAS VU ?

NON, IL A DISPARU... COMME KANÔ...

À PROPOS, AVEZ-VOUS RETROUVÉ M. KAMEDA ?

IL GUETTE PEUT-ÊTRE LE MOMENT OÙ L'UN DE NOUS SE RETROUVERA SEUL. TERRÉ DANS L'OMBRE EN RETENANT SON SOUFFLE !

LE MEURTRIER N'EST PAS L'UN DE NOUS...

IL ÉTAIT ÉGALEMENT IMPOSSIBLE À M. EBINA ET Mlle ISOGAI QUI NOUS ONT REJOINTS À MI-CHEMIN DE METTRE LE FEU...

ENTRE LE MOMENT OÙ NOUS AVONS QUITTÉ LE RESTAURANT ET CELUI OÙ NOUS SOMMES ARRIVÉS SUR LE PONT, PERSONNE NE S'EST RETROUVÉ SEUL...

ET C'EST JUSTE APRÈS QUE NOUS SOMMES TOUS MONTÉS SUR LE PONT QUE L'EXPLOSION A EU LIEU À L'ARRIÈRE DU BATEAU, ET QUE LA CAISSE QUI CONTENAIT LE CORPS A BRÛLÉ...

IL EST DANS LE VRAI... LORSQU'ON A ENTENDU LE COUP DE FEU, M. KUJIRAI REVENAIT DES TOILETTES ET M. SAMEZAKI ÉTAIT AVEC NOUS AU RESTAURANT...

9

LE COMPORTE-MENT ÉTRANGE DES PERSONNES ICI RASSEM-BLÉES...

MAIS QUELQUE CHOSE CLOCHE...

DANS CE CAS, VU QU'ON NE PEUT PAS IDENTIFIER LE CORPS, SEULS M. KAMEDA ET M. KANIE QUI N'ÉTAIENT PAS SUR LE PONT À CE MOMENT-LÀ, OU ENCORE LE VIEUX QUI SE FAIT APPELER KANÔ SAIZÔ, ONT PU AGIR...

DANS CETTE AFFAIRE IL Y A 20 ANS...

QUE S'EST-IL PASSÉ ?

TOUT AUTANT QUE LES RÉACTIONS DÉMESURÉES QUE MONTRE À CHAQUE FOIS M. SAMEZAKI...

SI HEIJI ÉTAIT LÀ, JE POURRAIS LUI DEMANDER CE QU'IL SAIT DE CETTE AFFAIRE...

ZUT !

TAP TAP TAP

JE VAIS AUX TOILETTES ! ALORS ATTENDS-MOI !

TAP TAP

CLAC

TIC TIC

MAIS OÙ EST-IL PASSÉ ?

TIP TOP TIP

J'ÉTAIS JUSTEMENT EN TRAIN DE REGARDER UNE ÉMISSION SPÉCIALE QUE J'AVAIS ENREGISTRÉE SUR CETTE AFFAIRE !!

MAISON DU PROFESSEUR AGASA.

OOH ! LE HOLD-UP SANGLANT DES 400 MILLIONS IL Y A 20 ANS ?

10

ONT-ILS PRÉCISÉ QUE KANÔ ÉTAIT MORT ?

OUI ! LE PRINCIPAL RESPONSABLE DANS CETTE AFFAIRE SE NOMMERAIT KANÔ SAIZÔ. ON CONNAISSAIT SON VISAGE MAIS PAS CELUI DE SES TROIS AUTRES COMPLICES. ON DISPOSE JUSTE DE LEUR PORTRAIT-ROBOT. RIEN DE PLUS !

JE L'AI ENREGISTRÉE EN PENSANT QUE TU AIMERAIS SÛREMENT VOIR ÇA...

IL PARAÎT QUE DEPUIS HIER, IL Y A PRESCRIPTION. ILS EN ONT BEAUCOUP PARLÉ HIER SOIR !

EST-CE QU'ILS ONT DIT QUELQUE CHOSE À PROPOS DU COUPA-BLE ?

COMMENT ?!

UNE PHOTO DE LUI TENANT SA FILLE DANS SES BRAS...

MAIS COMMENT SAVAIENT-ILS QUE C'ÉTAIT LA VESTE DE KANO...?

OUI... ILS ONT RÉCUPÉRÉ SUR LA CÔTE SA VESTE AVEC DES TRACES DE SANG ET DE BALLES ! LA POLICE EN A CONCLU À UNE DISPUTE AVEC SES COMPLICES AU COURS DE LAQUELLE IL SE SERAIT FAIT TUER !

GRÂCE À CE QU'IL Y AVAIT DANS LA POCHE DE SA VESTE... QUELQUE CHOSE DONT IL NE SE SÉPARAIT JAMAIS...

UNE EMPLOYÉE DE BANQUE : YOSHIMI SAMEZAKI...

PARDON ? QUI A ÉTÉ TUÉ ?

ET UNE JEUNE EMPLOYÉE DE LA BANQUE DU NOM DE SAMEZAKI A ÉTÉ TUÉE...

MAIS C'EST UNE SALE AFFAIRE... UN DES BANDITS, SURPRIS PAR L'ALARME, A LAISSÉ PARTIR UN COLIP...

11

POURQUOI AUTANT DE PERSONNES AYANT UN RAPPORT AVEC CETTE AFFAIRE SE TROUVENT-ELLES SUR CE BATEAU ?

NON ?! C'EST TROP PARFAIT POUR ÊTRE LE FRUIT DU HASARD !

EH BIEN ? QU'AS-TU, SHINICHI ?

YOSHIMI SAMEZAKI ?!

YO...

QUI EST-CE ?!

QUI EST CE "ZOO KANSAI", L'ORGANI-SATEUR DE CETTE CROISIÈRE ?

ZOO KANSAI

CE N'EST PAS POSSIBLE !! CHERCHONS !!!

PERSONNE ?!

QUE S'EST-IL DONC PASSÉ ?!

HABITUEL-LEMENT APRÈS UN BRUIT PAREIL, TU TE SERAIS DÉJÀ MONTRÉ !!

HEIJI ! QUE FAIS-TU, BON SANG ?!

POUR-QUOI N'AC-COURS-TU PAS ?!

13

C'EST... C'EST MOI...

MAIS POUR-QUOI ?

LE COUPABLE EST SANS AUCUN DOUTE KANÔ !! IL DONNE DES COUPS DE FEU POUR NOUS FAIRE PANIQUER !

C'EST KANÔ...

M. LE COMMISSAIRE ! IL EST PEUT-ÊTRE PASSÉ PAR LÀ ET ENTRÉ À L'INTÉRIEUR DU BATEAU...

TAC

JE...
JE VOUS
EN PRIE !
PROTÉGEZ-
MOI S'IL
VOUS PLAIT !!
JE VOUS
DIRAI TOUT...

SI VOUS
VOULEZ
SAVOIR :
MOI NON
PLUS JE
NE VEUX
PAS
MOURIR
...

JE...
JE NE
VEUX
PAS
MOURIR...

MOI...

IL... IL
VEUT ME
TUER...

OUI...

C'ÉTAIT
POUR
PARTAGER
AVEC MES
CAMARADES
LA JOIE
D'EN FINIR
AVEC CES
20 ANS DE
CAVALE...

SI JE SUIS
MONTÉ
SUR CE
BATEAU...

JE SUIS
UN DES
COMPLICES DE
KANO SAIZO,
UN DE CEUX
QUI ONT VOLÉ
400 MILLIONS
IL Y A
20 ANS...

14

UNE LETTRE
AVEC UN VIEUX
BILLET DE
10 000 YENS...

J'AI REÇU UNE
LETTRE D'UN DE
MES COMPLICES...
IL DISAIT QU'UNE
FOIS EMBARQUÉS
NOUS NE
RISQUIONS PLUS
DE NOUS FAIRE
PRENDRE...

JE NE LE SAIS PAS...

JU... JUSTE- MENT...

ET ALORS ? QUI ? QUI VEUT VOUS TUER ?

IL M'A DIT QUE L'AUTRE COMPLICE ÉTAIT M. KAMEDA...

NOUS NE NOUS ÉTIONS PAS REVUS DEPUIS DES ANNÉES. EN PLUS, CHACUN DE NOUS AVAIT CHANGÉ DE NOM ET DE VISAGE. IL M'ÉTAIT IMPOSSIBLE DE SAVOIR QUI ÉTAIT QUI... JUSQU'À CE QUE M. KANIE ME PARLE...

IL DEVRAIT ÊTRE MORT DEPUIS 20 ANS : L'UN DE NOUS LUI A TIRÉ DESSUS PLUSIEURS BALLES DE PISTOLET...

C'EST IMPOSSIBLE !!!

PFT ! C'EST PEUT-ÊTRE KANÔ SAIZÔ QUE VOUS AVEZ TRAHI, NON ?

CELA NE COLLE PAS !!

MAIS C'EST ÉTRANGE...

ALORS CERTAINEMENT UN DE VOS COMPLICES, NON ? POUR S'ACCAPARER SEUL LE MAGOT ! VOUS N'AVEZ TOUJOURS PAS UTILISÉ L'ARGENT, N'EST-CE PAS ?

C'EST CE QUE JE ME SUIS DIT AU DÉBUT MAIS...

BAAAAM

Dossier 8 : C'EST LA VÉRITÉ

UNE BALLE DANS LA TEMPE...

IL RESTE AUSSI LA TRACE DE L'IMPACT DU PISTOLET SUR LA TEMPE...

LE CADAVRE EST ENCORE CHAUD, LE SANG N'A PAS ENCORE TOUT À FAIT COAGULÉ...

OUI...

IL EST MORT SUR LE COUP...

2

VOILÀ...

DIFFICILE DE NE PAS Y VOIR UN SUICIDE...

À PART LUI, NOUS ÉTIONS TOUS DANS LE RESTAURANT LORSQUE LE COUP DE FEU EST PARTI...

MAIS VOUS NE TROUVEZ PAS CELA ÉTRANGE...?

QUEL IMBÉCILE...

COMPRENANT QU'IL N'AVAIT AUCUNE CHANCE DE S'EN SORTIR, IL A CHOISI DE SE SUICIDER...

KANIE, CACHÉ À L'AVANT DU BATEAU, A ENTENDU SON EX-COMPLICE PARLER DE L'ANCIENNE AFFAIRE, IL A VOULU LUI TIRER DESSUS, MAIS IL A RATÉ SON COUP !

QUI ÉTAIT-CE ?

LA PERSONNE QUI A BRÛLÉ SUR LE BATEAU PORTAIT LES VÊTEMENTS DE M. KANIE ET SA MONTRE, NON ?

IL AVAIT FAIT PORTER SES VÊTEMENTS À LA VICTIME ET IL A VOULU NOUS FAIRE CROIRE QUE C'ÉTAIT LUI QUI ÉTAIT MORT...

SÛREMENT UN DES COMPLICES DISPARUS DU BATEAU : KAMEDA OU KANÔ... QUOI QU'IL EN SOIT, LE MEURTRIER ÉTAIT KANIE...

3

DERRIÈRE LE MONSIEUR IL Y A UN TRUC BIZARRE QUI EST ATTACHÉ !

HM ?

OOH ! QU'EST-CE QUE C'EST ?

LE MYSTÈRE RESTE DE SAVOIR COMMENT KANIE A PU SE RÉFUGIER ICI SANS QUE NOUS PARVENIONS À LE RETROUVER...

JE VOIS...

C'EST UNE TRÈS BONNE CACHETTE !!

UNE ÉCHELLE EN CORDE !!!

C... C'EST ?!

SON CORPS PORTE D'AILLEURS DES TRACES DE CORDE... JE PENSE QU'ON EST DANS LE VRAI...

KANIE SE CACHAIT ICI ACCROCHÉ À CETTE ÉCHELLE...

ON PEUT IMAGINER QU'IL VOULAIT RÉAPPARAÎTRE DEVANT SA PROCHAINE VICTIME...

MAIS JE NE COMPRENDS PAS... POURQUOI AVAIT-IL BESOIN DE TOUTE CETTE MISE EN SCÈNE... ?

4

...

QUI VOULAIT-IL TUER FINALEMENT ?! M. KUJIRAI ÉTAIT POURTANT UN ANCIEN COMPLICE, NON ?

OU QUELQUE CHOSE DE CE GENRE...

AFIN DE LA TERRORISER...

MPF

MPF

MPF

RAN EST PARTIE CHERCHER LA BOÎTE À PHARMACIE...

IL FAUT VITE LE SOIGNER SINON...

UNE ARTÈRE A SÛREMENT ÉTÉ TOUCHÉE...

AAARGH...

OH, C'EST TERRIBLE TOUT CE SANG...

AGH...

VOUS VOUS EN SORTEZ AVEC UN TROU DANS VOTRE BRAS ET DANS VOTRE VESTE...

MAIS VOUS AVEZ VRAIMENT BEAUCOUP DE CHANCE...

5

EUH...

RESTE À TROUVER LA BALLE QUI DOIT S'ÊTRE INCRUSTÉE QUELQUE PART...

KANIE A BIEN VISÉ ! DE L'AVANT DU BATEAU JUSQU'ICI, À TRAVERS CETTE VITRE...

MOURI, J'AI TROUVÉ ! LE PASSAGE PAR LEQUEL LA BALLE EST PASSÉE...

MÊME SI LE COUP N'A PAS ÉTÉ MORTEL

MAIS QUEL TIRELIR...

PAS DE DOUTE, C'EST BIEN ÇA !

CE NE SERAIT PAS ÇA PAR HASARD ?

LA TRACE DE LA BALLE ?

TU AS OUBLIÉ ? DANS CETTE VIEILLE AFFAIRE, UN DES BANDITS SEMBLAIT ÉTRANGEMENT ROMPU AU MANIEMENT DES ARMES !

QU'IL ARRIVE À TIRER DE SI LOIN AVEC UN REVOLVER...

CLAC

TU AS APPORTÉ LA BOÎTE À PHARMACIE !

AH, PAPA !

OUI ! ET CET HOMME, C'ÉTAIT KANIE !

C'EST VRAI ! NOUS NOUS ÉTIONS MÊME DEMANDÉ SI CET HOMME N'AVAIT PAS FAIT PARTIE DE LA LÉGION ÉTRANGÈRE...

6

HM ? IL N'EST PAS DANS LE COIN ?

ET CONAN ?

TIENS ?

DANS UN PREMIER TEMPS, IL FAUT ARRÊTER L'HÉMORRAGIE !

TAC

UN GARÇON AVEC UN FORT ACCENT ?

CAR ON A DÉJÀ REGARDÉ TOUT À L'HEURE DANS TOUTES LES CHAMBRES QUAND ON CHERCHAIT M. KAMEDA AVEC M. SAMEZAKI...

SI TU VEUX MAIS JE NE PENSE PAS QU'IL Y SOIT...

EUH, SI ON REGARDAIT DANS LES CABINES DE TOUT LE MONDE ?

NON... JE NE L'AI PAS REVU DEPUIS QU'IL EST VENU CHERCHER LA LAMPE TORCHE ICI DANS LA SALLE DE NETTOYAGE...

OUI... IL N'Y AVAIT VRAIMENT RIEN À FOUILLER, AUSSI...

MAIS AU FAIT, ON N'A PAS FOUILLÉ CETTE CABINE !

HEIN ?

NON, RIEN DE TEL... TOUTES LES CABINES, HORMIS CELLE DE M. KAMEDA, ÉTAIENT FERMÉES À CLÉ...

VOUS N'AVEZ PAS REMARQUÉ DES TRACES DE FOUILLE DANS UNE DES CABINES ? COMME IL EST DÉTEC-TIVE...

C'EST BIZARRE... OÙ EST-IL PASSÉ ?

C'EST M. MOURI QUI ME L'A DEMANDÉ.

DITES ! VOUS POUVEZ ME CONDUIRE JUSQU'À CETTE CABINE ?

OUI...

ON AURAIT DIT QU'IL N'AVAIT MÊME PAS ENCORE OUVERT SA VALISE...

IL Y AVAIT JUSTE SA VALISE POSÉE EN PLEIN MILIEU DE LA CABINE ET LE LIT N'ÉTAIT MÊME PAS DÉFAIT...

OUI. LA CABINE DE M. EBINA, CELUI QUI A DES LUNETTES !

ET IL A DIT DE NE LE DIRE À PERSONNE !

OUI !

TAC

TU ES SÛR QUE C'EST L'INSPECTEUR MOURI QUI T'A AUSSI DEMANDÉ DE FAIRE CELA ?

MAIS, PETIT...

H!! H!! H!!

SPLAAAASH

D'AC-CORD !

TOI AUSSI, PETIT, RETOURNE VITE AVEC LES AUTRES !

RENTRONS VITE À L'INTÉRIEUR ! LA VUE DE CE CADAVRE N'EST PAS TRÈS RÉJOUIS-SANTE...

FLE

ZOO KANSAI...

M. KANSAI, QUI A ORGANISÉ LA CROISIÈRE, DOIT SÛREMENT ATTENDRE AVEC IMPATIENCE QUE LE BATEAU ARRIVE À OGASA-WARA...

MAIS QUELLE CROISIÈRE...! MÊME S'IL PARAIT QUE LE COUPABLE S'EST SUICIDÉ...

8

SI... IL ÉTAIT AU BOUT DU BATEAU...

VOUS N'AURIEZ PAS VU UN PETIT GARÇON À LUNETTES ?

LE MYSTÈRE EST À VENIR...

L'ORGA-NISATEUR DE CETTE CROISIÈRE...

NOUS OFFRO... UNE "CROISIÈRE ... DAUPHINS" [3... ET 2 NUITS... OGASAWA... 10 PREMIÈRES PER... QUI SE PRÉSENTE... AVEC CE PRÉCIEUX... QUI TEND À SE RARÉFIER... DATE : 8 OCTOBRE À 17 HEURES LIEU : PORT TEIMUZU SIGN... 'ANSAI ZOO

CETTE MONTRE QUE PORTE CE CORPS CARBONISÉ...

MAIS CELA NE ME CONVIENT PAS...

PRESQUE TOUS LES FAITS DE CETTE AFFAIRE CONCORDENT...

SI LE COUPABLE EST M. KANIE ET SI ZOO KANSAI ET KANIF NE FONT QU'UN...

SI SEULEMENT JE POUVAIS CONNAÎTRE L'IDENTITÉ DE CE KANSAI...

ZUT !

FLE FLE

ET AUSSI LE SCEAU QU'AVAIT M. KAMEDA SUR LEQUEL ÉTAIT INSCRIT LE NOM DE "KANSAI"...

AH...

9

HEIN ?

OUF !

MAIS...

LÀ ENCORE !

ET LÀ AUSSI !

ICI AUSSI !!!

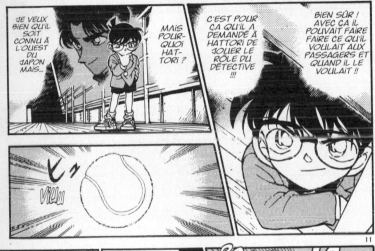

JE VEUX BIEN QU'IL SOIT CONNU À L'OUEST DU JAPON MAIS...

MAIS POUR-QUOI HATTORI ?

C'EST POUR ÇA QU'IL A DEMANDÉ À HATTORI DE JOUER LE RÔLE DU DÉTECTIVE !!!

BIEN SÛR ! AVEC ÇA IL POUVAIT FAIRE FAIRE CE QU'IL VOULAIT AUX PASSAGERS ET QUAND IL LE VOULAIT !!

11

S'IL TE PLAÎT...

AH, C'EST PARCE QUE...

QUAND ARRÊTERAS-TU DE ME CAUSER DU SOUCI...

HEIN ?

POM HO TO

NE ME LAISSE PAS SEULE...

HEIN ?

JE L'AI RAMASSÉE SOUS UNE TABLE LORSQUE JE TE CHERCHAIS DANS LE RESTAURANT...

MAIS D'OÙ SORT CETTE BALLE DE TENNIS ?

SI TU DISPARAIS, JE DOIS PARTIR SEULE À TA RECHERCHE SUR CE BATEAU PEU RASSURANT... TU COMPRENDS ?

CONAN, TU SAIS QUE JE SUIS PEUREUSE, NON ?

12

NON, CAR AVANT MÊME DE LA VOIR IL EST PARTI À L'AVANT DU BATEAU AVEC PAPA...

M. SAMEZAKI A-T-IL DIT QUELQUE CHOSE EN VOYANT LA BALLE ?

J'AI DEMANDÉ À QUI ELLE ÉTAIT MAIS PERSONNE NE S'EST MANI-FESTÉ...

HEIN ?

EXCUSE-MOI...

IL SEMBLE QU'ILS AIENT TROUVÉ UNE ANCIENNE BLESSURE PAR BALLE SUR LE CADAVRE DE M. KANIE...

ILS POUSSAIENT DES CRIS TOUS LES DEUX...

LORSQUE PAPA ET LE COMMISSAIRE SONT REVENUS AVEC HEIDI, ILS SONT TOUS REVENUS AUSSI...

CHACUN EST PARTI DE SON CÔTÉ...

EUH... LA PREMIÈRE FOIS QUE TON PÈRE ET L'AUTRE MONSIEUR SONT SORTIS DU RESTAURANT POUR CHERCHER KANÔ, QUE FAISAIENT LES AUTRES ?

LE MYSTÈRE DE CETTE AFFAIRE !!

JE VOIS... J'AI PERCÉ...

13

DÉSOLÉ, PROFESSEUR...

VOUS TOMBEZ MAL, JE VOUS RAPPELLE...

JE CHERCHE UN GARÇON QUI A UN FORT ACCENT DU SUD...

C'EST LE PROFESSEUR...

FLE !!

Piiiiip

EXCUSEZ-MOI...

MAINTENANT LES PREUVES...

VRAI-MENT ?

LE PETIT NOUS L'A DÉJÀ DEMANDÉ, AUSSI NOUS AVONS CHERCHÉ MAIS SANS SUCCÈS...

HEIN ?

MAIS HEIJI ENFIN !

HEIN ?

MAIS OÙ A-T-IL PU PASSER ?

TIP

14

?

IL EST SÛREMENT EN TRAIN DE NAGER QUELQUE PART AVEC LES POISSONS, NON ?

HEIJI ?

EH ! MOURI...

HEM...

HM ?

AGH...

OUI... SÛREMENT...

PEUT-ÊTRE QUE C'EST...

BTAM

HEIN ?

PST

15

VITE !!!

HEIN ?

RAN ! RASSEMBLE VITE TOUS LES PASSAGERS ICI !

TIP

PAPA ?!

QU'AVEZ-VOUS, KOGORO ?

TOUTE LA VÉRITÉ SUR CETTE AFFAIRE...

OUI... TOUT A ÉTÉ TIRÉ AU CLAIR...

C'EST VRAI QUE VOUS AVEZ RÉSOLU L'AFFAIRE ?

NON...

TU NE VAS PAS ME DIRE QUE CE N'EST PAS KANIE LE COUPABLE QUAND MÊME...

COMME VOUS L'AVEZ DIT, M. LE COMMISSAIRE, IL A FAIT SEMBLANT D'ÊTRE MORT ET IL SE CACHAIT EN ATTENDANT UNE OPPORTUNITÉ POUR TUER...

LE COUPABLE EST BIEN M. KANIE...

16

C'EST M. KAMEDA... D'ABORD M. KANIE A APPELÉ M. KAMEDA ET L'A TUÉ D'UNE BALLE PUIS IL L'A MIS DANS LA BOÎTE OÙ ÉTAIT RANGÉE L'ÉCHELLE DE SECOURS À L'ARRIÈRE DU BATEAU. ENSUITE...

ALORS QUI EST CELUI QUI EST MORT BRÛLÉ ?

POUR VOUS TUER M. KUJIRAI !!!

S'IL AVAIT PLIÉ LES COUDES AU MOMENT DE LE METTRE DANS LA CAISSE, AVEC LE DURCISSEMENT DU CORPS, IL AURAIT ÉTÉ PLUS DIFFICILE DE LUI ENFILER DES VÊTEMENTS...

POUR PREUVE, LES DEUX COUDES DU CADAVRE ARRIVAIENT AU NIVEAU DU VISAGE !

EN EFFET POUR HABILLER LE CADAVRE, IL LUI FALLAIT DU TEMPS ET IL NE VOULAIT PAS PRENDRE LE RISQUE D'ÊTRE DÉCOUVERT PAR LE COMMISSAIRE...

APRÈS AVOIR MIS LE CORPS DANS LA CAISSE, IL A ATTENDU AVANT DE L'HABILLER, CAR IL VOULAIT D'ABORD QUE LE COMMISSAIRE RENONCE À CHERCHER CE VIEUX MONSIEUR DU NOM DE KANÔ...

POURQUOI DEVAIT-IL FAIRE CROIRE QU'IL ÉTAIT MORT ?

MAIS POURQUOI ?

CAR LORS D'UN CRIME, LES PREMIERS SUSPECTS SONT EN GÉNÉRAL LES PERSONNES QUI ÉTAIENT SUR LES LIEUX UN PEU AUPARAVANT...

SI LE BRACELET DE MONTRE ÉTAIT DÉTACHÉ, C'EST CERTAINEMENT PARCE QUE SA MONTRE N'ALLAIT PAS AU BRAS DE M. KAMEDA... ENSUITE JUSTE AVANT DE METTRE LE FEU, M. KANIE A APPELÉ M. KUJIRAI À L'ARRIÈRE DU BATEAU AFIN DE FAIRE PORTER LES SOUPÇONS SUR LUI...

TERRORISER CE COMPLICE QUI, 20 ANS AUPARAVANT, L'AVAIT TRAHI...

C'ÉTAIT POUR POUVOIR APPARAÎTRE DEVANT SA PROCHAINE VICTIME, M. KUJIRAI, ET LE TERRORISER...

17

SI... CELUI QU'ON CROYAIT MORT IL Y A 20 ANS...

NON, IL SERAIT...

CES VIEILLES BLESSURES PAR BALLE SONT DES PREUVES INDISCUTABLES !

OUI... LE VIEUX MONSIEUR DU NOM DE KANÔ N'EST AUTRE QU'UN DOUBLE DE LUI IMAGINAIRE CRÉÉ JUSTE POUR FAIRE PEUR... REGARDEZ LES VIEILLES BLESSURES QU'A M. KANIE SUR LE CORPS !

TRAHI ?

Dossier 9 :
TÉMOIN RESSUSCITÉ

NON...

NON CE N'EST PAS VRAI !!

HEIN ?

2

VOTRE PÈRE ?

PÈRE ?

MON PÈRE...

CAR KANÔ EST... KANÔ EST...

CETTE PERSONNE NE PEUT PAS ÊTRE KANÔ SAIZÔ !!

C'EST PAREIL POUR LUI !! EN ME VOYANT, IL AURAIT AGI DIFFÉREMMENT !!

NE VOUS MOQUEZ PAS DE MOI !! MÊME SI SON VISAGE AVAIT CHANGÉ, JE RECONNAÎTRAIS MON PÈRE !!

N'OUBLIEZ PAS QU'IL A CHANGÉ DE VISAGE...

MAIS JE NE L'AI PAS RETROUVÉ...

SI J'AI PARTICIPÉ À CETTE CROISIÈRE, C'ÉTAIT DANS L'ESPOIR DE RETROUVER MON PÈRE QU'ON CROYAIT MORT DEPUIS 20 ANS... EN VIE...

OUI... LE PLANIFICATEUR DE L'OMBRE, KANÔ SAIZÔ, ÉTAIT MON VRAI PÈRE...

MÊME SI VINGT ANNÉES SE SONT ÉCOULÉES...

C'EST LE TÉMOIGNAGE QUE J'AVAIS BESOIN D'ENTENDRE...

LES PLANS ?

AFIN DE CONTRECARRER DÉFINITIVEMENT LES PLANS DU COUPABLE...

PARDONNEZ-MOI, Mlle NAGISA... J'EN AVAIS LE PRESSENTIMENT MAIS IL ME FALLAIT EN ÊTRE SÛR...

HEIN ?

IL NOUS A TROUBLÉS EN SE CACHANT, EN TIRANT DES COUPS DE FEU, ET APRÈS AVOIR TIRÉ DE L'EXTÉRIEUR DU BATEAU SUR SON ANCIEN COMPLICE M. KUJIRAI, IL A VOULU FAIRE CROIRE AU SUICIDE D'UN HOMME QUI N'AVAIT PLUS D'ISSUE POUR SE SAUVER...

OUI... LE COUPABLE A VOULU FAIRE CROIRE QUE M. KANIE AVAIT TUÉ M. KAMEDA, QU'IL LUI AVAIT FAIT PORTER SES VÊTEMENTS, ET L'AVAIT BRÛLÉ DANS LE BUT DE SE FAIRE PASSER POUR MORT...

IL Y A QUEL-QU'UN D'AUTRE...

NON... CE N'EST PAS M. KANIE...

ALORS LE COUPABLE SERAIT...

COMME SI LA VÉRITABLE IDENTITÉ DE M. KANIE ÉTAIT KANÔ SAIZÔ, COMME SI CES MEURTRES ÉTAIENT LA TRAGIQUE VENGEANCE D'UNE TRAHISON VIEILLE DE 20 ANS...

TOUTES LES PERSONNES ICI PRÉSENTES ÉTAIENT SUR LE PONT QUAND L'EXPLOSION A EU LIEU ET QUAND QUEL-QU'UN A ÉTÉ BRÛLÉ !

EH, OH ! QU'EST-CE QUE TU RACONTES, MOURI ?

?!

PARMI VOUS...

4

COMMENT VEUX-TU DÉCLENCHER UNE EXPLOSION SANS UN SYSTÈME AUTOMA-TIQUE... ?

TOUS LES MEMBRES D'ÉQUI-PAGE ONT UN ALIBI...

LÀ AUSSI C'EST UNE CIGA-RETTE...

MAIS COMMENT EXPLIQUES-TU QU'ON AIT ENTENDU QUATRE COUPS DE FEU À L'ARRIÈRE DU BATEAU ET DEUX À L'AVANT ? LÀ AUSSI TOUS CEUX QUI SONT ICI ÉTAIENT...

DANS LA CAISSE OÙ IL Y AVAIT LE CORPS, IL A MIS DE L'ESSENCE ET IL A COINCÉ UNE CIGARETTE AU BORD DE LA CAISSE. EN L'ATTACHANT AVEC UN FIL, AU BOUT DE 10 MINUTES, LE FIL BRÛLE ET LA CIGARETTE TOMBE DANS LA BOÎTE, ET LE FEU PREND TOUT SEUL...

AVEC UNE CIGA-RETTE...

AINSI, EN EXPLO-SANT, LES PREUVES TOMBAIENT À L'EAU...

IL A SÛREMENT DÛ METTRE LE FEU À UNE CIGARETTE ATTACHÉE À DES PÉTARDS AVEC DE L'ADHÉSIF...

ALORS QUI EST-CE ?

BREF, EN UTILISANT DES CIGARETTES, TOUT LE MONDE AURAIT PU COMMETTRE CE CRIME...

QUANT AU BRUIT QU'IL Y A EU SUR LE PONT SUPÉRIEUR ET LE DRAPEAU EN FLAMME, IL A RÉUSSI SON COUP EN ALLUMANT UNE CIGARETTE PRÈS DU DRAPEAU ENDUIT D'ESSENCE...

LES SEULES PREUVES QUI RESTENT SONT LES TRACES DE BRÛLURES ET DE PEINTURE DÉCOLLÉE SUR LA BARRIÈRE !

5

C'EST...

ALORS QUI EST DONC LE COUPABLE ?!

BOUIIIIIIIIUM

QU'EST-CE QUE C'EST QUE CETTE EXPLOSION ?!

HEIN ?!

ET L'AI TENU À L'ÉCART DU BATEAU EN LE FIXANT SUR LA RAMBARDE DU BATEAU...

PAR PRÉCAUTION, J'AI ATTACHÉ UN CANOT PNEUMATIQUE À UNE CORDE...

À 100 M DERRIÈRE LE BATEAU ?!

NE VOUS INQUIÉTEZ PAS... C'EST JUSTE UNE BOMBE QUI A EXPLOSÉ À 100 M DERRIÈRE LE BATEAU...

VOTRE VALISE CONTENANT LA BOMBE À RETARDEMENT !!!

M. EBINA...

6

AFIN DE VOUS VENGER DES CRIMINELS QUI AVAIENT TUÉ VOTRE COLLÈGUE DE TRAVAIL...

CETTE BOMBE A ÉTÉ PRÉPARÉE BIEN À L'AVANCE AFIN D'EXTERMINER LES ORGANISATEURS DU HOLD-UP...

UNE CABINE INUTILISÉE, UN LIT SANS MÊME UN PLI, UNE VALISE QUI N'AVAIT PAS L'AIR D'AVOIR ÉTÉ OUVERTE... VOUS QUI VOUS PRÉOCCUPIEZ DE L'HEURE TRÈS SOUVENT, ET JE ME SUIS POSÉ LA QUESTION...

MAIS ?! COM-MENT... COM-MENT LE SAVIEZ-VOUS ?!

COL-LÈGUE ?

EN PLUS, IL A MURMURÉ LE PRÉNOM DE LA JEUNE VICTIME EMPLOYÉE DE LA BANQUE...

OUI... CETTE MANIÈRE DE COMPTER LES BILLETS EST PROPRE AUX BAN-QUIERS...

C'ÉTAIT MA PETITE AMIE... YOSHIMI... QUI FUT TUÉE DANS CETTE AFFAIRE...

CE N'ÉTAIT PAS UNE SIMPLE COLLÈGUE...

7

OUI, C'EST ÇA !! DEPUIS CE JOUR J'AI ARRÊTÉ DE TRAVAILLER À LA BANQUE, J'AI FAIT PLEIN DE BOULOTS ET J'AI ESSAYÉ DE POURSUIVRE CES COUPABLES À MA FAÇON !! MÊME UNE FOIS LA PRESCRIPTION PASSÉE...J'AI CONTINUÉ...

VOUS NE SERIEZ PAS CELUI QUI PLEURAIT SI FORT LORS DE L'ENTERREMENT DE MA FILLE...

VO... VOTRE PETITE AMIE ?!

SI... SI
VOUS...

LA PERSONNE
QUI ÉTAIT CHÈRE
À YOSHIMI ET
QU'ELLE VOULAIT
QUE JE
RENCONTRE...

AH,
C'ÉTAIT
DONC
VOUS...

SI JE
M'ÉTAIS
TROMPÉ,
J'AURAIS
JETÉ MA
VALISE À
LA MER
AVANT
SON
EXPLOSION
...

ET EN
REGARDANT
L'ANNONCE SUR
LE JOURNAL,
JE ME SUIS DIT
QU'IL S'AGISSAIT
PEUT-ÊTRE
D'EUX ET
J'AI VOULU
PARTICIPER
À CETTE
CROISIÈRE...

ELLE NE
SERAIT
PAS...
ELLE NE
SERAIT
PAS...

SI VOUS
ÉTIEZ
VENU CE
JOUR-LÀ
À LA
BANQUE,
COMME
VOUS LUI
AVIEZ
PROMIS...

...

?!

ALORS C'ÉTAIT
VOUS ? C'EST
VOUS QUI AVEZ
TIRÉ SUR LES
COUPABLES DE
L'AFFAIRE...

AARGH.

J'AI APPRIS
L'AFFAIRE À
L'HÔPITAL...

DÉSOLÉ.
CE JOUR-
LÀ, UN
DE MES
HOMMES
AVAIT ÉTÉ
POIGNAR-
DÉ...

8

OUI...
JE LE
SAIS...

C'EST
VRAI !
CROYEZ-
MOI !!

JE
N'AVAIS
PAS DE
PISTOLET
!!!

CE QUE
J'AVAIS,
C'ÉTAIT
UNE
BOMBE !!

NON !!
ÇA, CE
N'EST
PAS
MOI !!

IL FALLAIT QUE CELA AIT L'AIR D'UNE VENGEANCE SINON CETTE AFFAIRE NE TENAIT PAS DEBOUT...

JE VOUS L'AI DÉJÀ DIT MAIS POUR FAIRE CROIRE QUE M. KANIE ÉTAIT LE COUPABLE...

JE SAIS QUE VOUS N'ÊTES PAS LE MEURTRIER...

IL FALLAIT FAIRE CROIRE QUE C'ÉTAIENT DES BLESSURES DATANT DE 20 ANS... LES BLESSURES DE KANÔ !!

ET TOUT ÇA NE POUVAIT MARCHER QUE GRÂCE AUX VIEILLES BLESSURES PAR BALLE DE M. KANIE...

LE COUPABLE EST MONTÉ SUR CE BATEAU EN SE DÉGUISANT EN VIEILLARD, PUIS EST REDESCENDU, A ENLEVÉ SON DÉGUISEMENT, ET IL EST REMONTÉ SUR LE BATEAU SOUS UNE AUTRE APPARENCE... S'IL A LAISSÉ SUR LE PONT UN BILLET AVEC UN MESSAGE RESSEMBLANT À CELUI DE KANÔ, C'ÉTAIT POUR FAIRE CROIRE À UNE MISE EN SCÈNE POUR EFFRAYER SES ANCIENS COMPLICES...

CES BLESSURES REMONTENT CERTAINEMENT À L'ÉPOQUE OÙ IL ÉTAIT LÉGIONNAIRE... OUI, IL Y AVAIT BIEN UN HOMME AVEC UN TEL PASSÉ DANS LE GROUPE...

ALORS CES BLESSU- RES...

9

NON ?!

N~

IL FALLAIT DÉJÀ AVOIR CONNAIS- SANCE DES BLESSURES DE KANIE...

OUI... ET POUR POUVOIR PENSER À CETTE MISE EN SCÈNE...

IL N'Y A QUE VOUS, N'EST-CE PAS ?

M. KUJIRAI, SON ANCIEN COMPLICE...

VOUS ÊTES ALLÉ DANS LA SALLE DES MACHINES, ET AVEZ TIRÉ SUR M. KAMEDA QUE VOUS AVIEZ APPELÉ, PUIS CACHÉ SON CORPS DANS LA CAISSE...

VOUS AVEZ VU M. KAMEDA QUI QUITTAIT LE RESTAURANT ET AVEZ ÉVOQUÉ LE NOM DE KANÔ SAIZÔ...

BROUAA HII BROUAA
HII BROUAA

10

ILS SE SONT SÛREMENT RETROUVÉS DANS LES TOILETTES PROCHES DU RESTAURANT... LÀ IL A ENDORMI M. KANIE, LUI A PRIS SON PULL ET SA MONTRE, A HABILLÉ LE CADAVRE CACHÉ À L'ARRIÈRE DU BATEAU, ET A PRÉPARÉ LA CIGARETTE...

PUIS, DE RETOUR AU RESTAURANT, IL A ATTENDU QUE VOUS, M. LE COMMISSAIRE, VOUS ABANDONNIEZ LES RECHERCHES SUR KANÔ ET EST SORTI DU RESTAURANT POUR ALLER AU RENDEZ-VOUS CONVENU AVEC M. KANIE...

OUI... NOUS AVONS DÉJÀ RETROUVÉ LES TRACES DE BALLES, DE SANG AINSI QUE LA LETTRE QUI L'A ATTIRÉ LÀ-BAS. ELLE AVAIT CERTAINEMENT ÉTÉ GLISSÉE SOUS LA PORTE DE SA CABINE...

DANS LA SALLE DES MACHINES ?

IL AURAIT AVOUÉ APRÈS COUP QUE DANS LA BOÎTE D'ALLUMETTES IL AVAIT TROUVÉ UN MESSAGE LUI FIXANT UN RENDEZ-VOUS...

S'IL A LAISSÉ DANS LA POUBELLE DES TOILETTES LE MESSAGE LUI DEMANDANT DE VENIR AU RENDEZ-VOUS, ET S'IL A FAIT SEMBLANT DE TREMBLER EN ENTENDANT AU RESTAURANT LE NOM DE KANÔ, C'ÉTAIT POUR QUE M. KANIE VIENNE LE VOIR DE LUI-MÊME...

AINSI LES HOMMES POUVAIENT CONSTATER QUE LA CAISSE N'ÉTAIT PAS ENCORE EN FEU. EN MÊME TEMPS, IL INSISTAIT SUR LE FAIT QUE QUELQU'UN LUI AVAIT DEMANDÉ DE VENIR ICI...

À CE MOMENT, M. KUJIRAI A POUSSÉ UN GRAND CRI EXPRÈS À L'ARRIÈRE DU BATEAU POUR QUE L'ÉQUIPAGE LE VOIE...

AINSI, TOUT LE MONDE MONTERAIT SUR LE PONT EN ENTENDANT LE BRUIT ET LORSQUE L'EXPLOSION RETENTIRAIT À L'ARRIÈRE DU BATEAU, IL AURAIT UN ALIBI PUISQU'IL ÉTAIT AVEC TOUT LE MONDE À CE MOMENT-LÀ...

IL A POSÉ LA CIGARETTE SUR LE DRAPEAU DU PONT SUPÉRIEUR AVANT D'HABILLER LE CORPS...

11

IL A REMONTÉ M. KANIE, L'A TUÉ D'UNE BALLE, ET IL S'EST TIRÉ DESSUS DEVANT LA VITRE À L'AVANT DU BATEAU, ET A INCRUSTÉ UNE BALLE DANS UN DES MURS DU RESTAURANT, IL NE LUI RESTAIT PLUS QU'À INSTALLER DEUX CIGARETTES ET LES PRÉPARATIFS ÉTAIENT TERMINÉS !

PEU DE TEMPS APRÈS, IL A POSÉ LA CIGARETTE À L'ARRIÈRE DU BATEAU, ET PENDANT QUE NOUS NOUS Y RENDIONS APRÈS AVOIR ENTENDU CE BRUIT, IL EST RETOURNÉ À L'AVANT...

IL A TRANSPORTÉ M. KANIE DES TOILETTES JUSQU'À L'AVANT DU BATEAU ET L'A ATTACHÉ SUR L'ÉCHELLE PENDANT QUE TOUT LE MONDE ÉTAIT AUTOUR DU CADAVRE BRÛLÉ À L'ARRIÈRE DU BATEAU...

S'IL S'ÉTAIT TIRÉ DESSUS AU PRÉALABLE, IL Y AURAIT EU PLUS DE SANG...

MAIS J'AI POURTANT VU SA BLESSURE JUSTE APRÈS QU'IL A ÉTÉ TOUCHÉ, NON ?

EN TOMBANT EN MÊME TEMPS QUE LE PREMIER COUP DE FEU, ON POUVAIT CROIRE QUE QUELQU'UN LUI AVAIT TIRÉ DESSUS DE L'AVANT DU BATEAU !

IL A RASSEMBLÉ TOUT LE MONDE DANS LE RESTAURANT EN DISANT QU'IL ALLAIT TOUT AVOUER, ET A ATTENDU QUE LES PÉTARDS EXPLOSENT.

IL S'EN EST PROBABLEMENT DÉBARRASSÉ LORSQUE L'ATTENTION DE CHACUN S'EST PORTÉE SUR LE 2ème PÉTARD...

LA BALLE A ÉTÉ RETROUVÉE PAR RAN DANS LE RESTAURANT...

AVANT MÊME DE SE TIRER DESSUS, IL AVAIT COINCÉ UNE BALLE DE TENNIS SOUS SON AISSELLE ET EN PRESSANT SON ARTÈRE, IL AVAIT FAIT UNE SORTE DE GARROT, STOPPANT LE FLUX DE SANG JUSQU'À CE QUE LES PÉTARDS EXPLOSENT...

C'EST LA BALLE DE TENNIS !

PARCE QUE CELA AURAIT PARU ÉTRANGE QUE M. KANIE SE SUICIDE JUSTE APRÈS LA DÉCOUVERTE DU CADAVRE BRÛLÉ... ENFIN LE STRATAGÈME DE L'ÉCHANGE DES VÊTEMENTS AURAIT ÉTÉ LOUCHE!

MAIS POURQUOI N'A-T-IL PAS TUÉ M. KANIE LA PREMIÈRE FOIS QU'IL L'A AMENÉ SUR LE PONT ?

VOS INTONATIONS TRAHISSENT VOS ORIGINES ! MÊME S'IL N'EST PAS TRÈS FORT, VOTRE ACCENT EST PERCEPTIBLE !

IL EST LUI AUSSI ORIGINAIRE DE L'OUEST DU JAPON. N'EST-CE PAS, M. KUJIRAI ?

BIEN SÛR IL AVAIT PENSÉ À NOUS POUR JOUER LES DÉTECTIVES MAIS IL A D'ABORD PENSÉ À HATTORI CAR...

C'EST AUSSI POUR CETTE RAISON QU'IL A FAIT VENIR HEIJI HATTORI D'OSAKA !

LA POSITION DU CORPS CALCINÉ, LE BRACELET DE MONTRE DÉCROCHÉ... TOUT ÇA N'ÉTAIT QU'UNE SUPER-CHERIE DESTINÉE À NOUS MANI-PULER !

12

ON POURRA COMPARER AVEC LA TRACE QU'IL A SUR SON BANDEAU...

NOUS TROUVERONS SÛREMENT UNE RÉACTIVITÉ AU LUMINOLE... CAR SON SANG A DÛ LÉGÈREMENT GICLER LORSQU'IL S'EST TIRÉ DESSUS AU TRAVERS DE LA VITRE...

POUR CELA, IL SUFFIRA DE CHERCHER AUTOUR DU TROU DANS LA VITRE...

ET LES PREUVES ...?

VOUS VOUS ÊTES BIEN MOQUÉ DE NOUS !!

VOUS !!

CECI EST UN PIÈGE !! QUELQU'UN M'A TENDU UN PIÈGE !!

HEIN ?!

NON !! CE N'EST PAS MOI !!

VIIIZ ZZ!!

TAP

ジャ!!

SONT BELLES...

LES ÉTOILES...

13

VOOOM

VOOOM

QUELLE EST CETTE ÉTOILE QUI S'APPROCHE DE NOUS PAR LA GAUCHE ?

TIENS ? QU'EST-CE QUE C'EST ?!

QUOI ?!

MAIS C'EST...

AH....

TCHOUUUM !

AAA...

HATTORI?!

OUI...

AH...
AH...

TCHOUM...

NOTRE PREUVE VIVANTE ! IL A DÉCOUVERT M. KANIE ATTACHÉ À L'AVANT DU BATEAU ET VOUS L'AVEZ FRAPPÉ ET JETÉ PAR-DESSUS BORD !

14

MAIS COMMENT AS-TU FAIT POUR TROUVER QUE CE N'ÉTAIT PAS M. KANIE LE COUPABLE...?

N'EST-CE PAS, M. KIKUTA?

VOUS NE POUVEZ PLUS NIER...

GRÂCE À LA MONTRE...

C'EST M. KUJIRAI QUI A FAIT PARAÎTRE L'ANNONCE POUR CETTE CROISIÈRE... ILS AVAIENT SÛREMENT DÛ FAIRE UNE PROMESSE IL Y A 20 ANS... UNE PROMESSE QU'ILS FERAIENT PASSER UNE ANNONCE DANS CE JOURNAL AU NOM DE KANSAI ZOO AVANT LA PRESCRIPTION...

PFT... VOUS ÊTES TOMBÉ À CAUSE DE LA MONTRE D'UN DE VOS ANCIENS COMPLICES...

LE VÉRITABLE M. KANIE NE SE SERAIT PAS TROMPÉ DE BRAS ! C'EST CERTAIN !

DÈS QUE J'AI VU LA MONTRE POUR DROITIER SUR LE BRAS GAUCHE DU CADAVRE, J'AI ÉCARTÉ DES SUSPECTS M. KANIE...

IL Y A 20 ANS, IL FALLAIT UNE SIGNATURE, UNE CLÉ ET UN SCEAU POUR UTILISER UN COFFRE...

SI LES TROIS COMPLICES S'ÉTAIENT RASSEMBLÉS ICI, C'ÉTAIT POUR OUVRIR LA PORTE D'UN COFFRE RESTÉ FERMÉ PENDANT 20 ANS...

EN VOYANT LA SIGNATURE DE M. KUJIRAI, M. KAMEDA ET M. KANIE ONT COMPRIS ET ILS ONT CHACUN MONTRÉ LA CLÉ ET LE SCEAU. IL A DONC SU TOUT DE SUITE QUI ÉTAIENT SES COMPLICES, ET A PU COMMENCER SON PLAN...

ILS S'ÉTAIENT PARTAGÉ CES TROIS OBJETS IL Y A 20 ANS, SE FAISANT PAR LÀ MÊME LA PROMESSE DE SE REVOIR...

15

J'AVAIS ENVIE DE GAGNER...

IL Y AVAIT EU PRESCRIPTION ! AVAIT-IL BESOIN DE COMMETTRE UN CRIME SI RECHERCHÉ... ?

QUEL IMBÉCILE...

JE VOIS...IL COMPTAIT VOLER LE SCEAU ET LA CLÉ POUR METTRE LA MAIN SUR L'ARGENT...

JE N'AI POURTANT PAS CITÉ UNE SEULE FOIS LE NOM DE KANÔ DANS L'ANNONCE...

MAIS COMMENT SE FAIT-IL QU'AUTANT DE PERSONNES AYANT UN RAPPORT AVEC CETTE AFFAIRE QUI REMONTE À 20 ANS SOIENT PRÉSENTES SUR CE BATEAU ?

JE VOULAIS LUI MONTRER ! LUI QUI AVAIT DIT IL Y A 20 ANS QUE MES PLANS ÉTAIENT NULS !!

FACE À KANÔ SAIZÔ, METTANT AU POINT UN PLAN PARFAIT...

KANÔ VOULAIT QU'ON L'UTILISE À CHAQUE FOIS QUE C'ÉTAIT NÉCESSAIRE PARCE QU'IL DISAIT QUE C'ÉTAIT UN NOM FACILE À RETENIR... MAIS CELA DEVAIT RESTER UN SECRET ENTRE NOUS...

VOUS NE SAVEZ PAS CE QU'EST "KANSAI ZOO" ?

MÊME SI ON N'Y CROYAIT QU'À MOITIÉ...

C'EST POUR ÇA QUE NOUS AVONS PARTICIPÉ À CETTE CROISIÈRE. EN PLUS LA DATE DE PRESCRIPTION APPROCHAIT...

KANSAI ZOO

↓

SAIZÔ KANÔ

HAHAHA... ÇA, C'EST LA MEILLEURE !! KANSAI ZOO EST UN ANAGRAMME DE SAIZÔ KANÔ ET VOUS NE LE SAVIEZ PAS ?

16

KANÔ A CONTINUÉ À VOUS BERNER...

PFT... ON NE PEUT PARLER DE COMPÉTITION CAR PENDANT 20 ANS...

CE N'EST PAS VRAI...

BREF "KANSAI ZOO" ÉTAIT L'INTELLIGENT PSEUDONYME DE KANÔ !!

VOUS NE VOUS EN ÉTIEZ PAS APERÇUS ?

SI, JE T'ASSURE ! IL M'A POUSSÉ PAR DERRIÈRE !

NON...

TU ES TOMBÉ À LA MER ?!

HEIN?!

JE DÉRIVAIS DANS LA MER, QUAND CES PÊCHEURS M'ONT SAUVÉ !

HEUREUSEMENT TU ES SAIN ET SAUF...

BEN OUI ! ILS SE SERAIENT REMPLIS D'EAU ET J'AURAIS COULÉ TOUT DE SUITE !

TU AS ENLEVÉ TES VÊTEMENTS ?

VOUS AURIEZ PU VOUS INQUIÉTER UN PEU PLUS !!

C'ÉTAIT DUR ! IL A FALLU QUE JE ME DÉSHABILLE DANS L'EAU, ET QUE J'ENVOIE DES SIGNAUX AU LOIN AVEC MA LAMPE TORCHE...

17

PAR HASARD...

CE QUI ÉTAIT DANS MA POCHE...

FLE

J'AI JUSTE GARDÉ MON CALEÇON ET...

VOOOM

OU PAS...

JE NE SAIS PAS SI C'EST EFFICACE...

CETTE AMULETTE...

Ne l'oublie pas, idiot !

QUOI ?

HEIN ?

MAIS COMME JE NE VEUX PAS NON PLUS QUE ÇA M'ATTIRE DES ENNUIS, JE VAIS LA GARDER !

C'EST PAS VRAI ! JE PENSAIS JUSTE QUE JE DEVRAIS JETER CETTE AMULETTE DE MAUVAIS AUGURE !

TU ÉTAIS PLONGÉ DANS TES PENSÉES EN REGARDANT L'AMULETTE DE KAZUHA.

TÂCHE DE T'EN RAPPELER LA PROCHAINE FOIS...

Dossier 10 : OUVERTURE D'ENQUÊTE !!

ELLE DOIT SE DOUTER DE TA VÉRITABLE IDENTITÉ...

IL N'Y A PAS DE DOUTE...

MAIS COMMENT SE FAIT-IL QUE TU SACHES CELA ?

TU NE FERAS QUE LA BLESSER ...

IL EST INUTILE DE LA TROMPER DAVANTAGE...

2

MISTER YAIBA ?

TU NE LE SAVAIS PAS ?

JE SUIS TOMBÉE AMOUREUSE DE TOI... DÈS LE PREMIER INSTANT OÙ JE T'AI VU...

LE CŒUR D'UNE FEMME ?

EH BIEN ? MONSIEUR SAIT LIRE DANS LE CŒUR DES CRIMINELS MAIS PAS DANS CELUI DES FEMMES ?

CE N'EST PAS BON, CONAN ! IL FAUT QUE TU AIES L'AIR PLUS SURPRIS !

COUPEZ ! COUPEZ !!

ET AVOUE SON AMOUR À MISTER YAIBA ! C'EST UNE SCÈNE CRUCIALE !

C'EST LA SCÈNE OÙ LA FEMME-ESPION RENONCE À L'ORGANI-SATION DU MAL...

ON DOIT JOUER DES CONTES RÉALISTES !

GENRE "LE PETIT POUCET" OU "LES 3 PETITS COCHONS"...

PFT... C'EST UNE PIÈCE POUR LA KERMESSE DE FIN D'ANNÉE, NON ? VOUS NE VOULEZ PAS CHOISIR UN TRUC PLUS CLAS-SIQUE ...?

MERCI...

AÏ, TU ÉTAIS TRÈS BIEN !

3

MAIS OUI ! LE CADRE EST IDÉAL ! ÇA ARRIVE SOUVENT, NON ? LA TRAQUE D'UN BANDIT CACHÉ DANS UN IMMEUBLE DÉVASTÉ...

ET POURQUOI ON NE JOUERAIT PAS UNE ENQUÊTE POLICIÈRE ?

IL A RAISON ! D'AUTANT QUE SI NOUS SOMMES VENUS EXPRÈS DANS CET IMMEUBLE DÉVASTÉ, C'ÉTAIT POUR NOUS METTRE DANS L'AMBIANCE ...

MOI, JE DOIS ME CONTENTER D'ÊTRE LA PATATE DÉMONIAQUE ! ALORS NE TE PLAINS PAS !

PARCE QUE "YAIBA LE VENGEUR MASQUÉ", C'EST RÉALISTE ?

NE T'APPROCHE PAS !!!

TAC

NE...

CONAN !!!

NE T'APPRO CHE PAS...

AGH...

AYUMI !!!

A...

TAP MPF TP TAP MPF MPF

5

TOP

LÂCHEZ-MOI !!!!!

TAP TAP

LÂ-CHEZ-MOI !

LÂ-CHEZ-MOI !

TAP TAP TAP TAP

JE SUIS VRAIMENT DÉSOLÉ !!

DE T'AVOIR FAIT PEUR...

PAR-DONNE-MOI, MON ENFANT...

MPF MPF

MPF MPF

Hiiii

OÙ EST-IL ?!

AH, AYUMI !!!

JE CROIS QU'IL EST MONTÉ SUR LE TOIT...

TAP TAP TAC TAP TAP TAP

6

OOOOH~

BAM

TAC

Hii

SUPER !!!

TAP

WAOUH !

Viiiim

8

BAM

BAM

L'INSPECTEUR TAKAGI !

SATÔ !

TAP TAP TAP

C, C'EST QUE...

EUH, QU'EST-CE QUI S'EST PASSÉ ?

OUI !

TAKAGI ! PASSE PAR LE BAS !

CLAC

COMMENT ? UN CRIMINEL DONT VOUS AVIEZ LA CHARGE S'EST ÉCHAPPÉ ?!

CES PERSONNES ONT COMMENCÉ À SE BATTRE SUR LE TROTTOIR, ALORS L'INSPECTEUR SATÔ EST SORTIE DE LA VOITURE POUR LES ARRÊTER... ELLE A MIS FIN RAPIDEMENT À LA DISPUTE MAIS...

TAP TAP

OUI ! PENDANT LE TRANSFERT JUSQU'AU COMMISSARIAT CENTRAL, IL Y A EU UN ACCIDENT ENTRE UNE MOTO ET UN CAMION...

9

JE SAIS !!!!

SI VOUS NE LE REPRENEZ PAS, VOUS NE VOUS EN TIREREZ PAS AVEC UN SIMPLE RAPPORT !

DÉGIRAIT !!!

PFT ! TOI ALORS !?

JE NE PENSAIS PAS QU'IL ALLAIT SE SAUVER... UN HOMME SI DISCRET...

PENDANT CE LAPS DE TEMPS, LE SUSPECT ASSIS À CÔTÉ S'EST ENFUI !!

AAAAAARGH!!!

AAH~

18 HEURES 43 : CAPTURE DU SUSPECT EN FUITE...

PFUII...

BTAM

LA CHAÎNE DE SES MENOTTES EST CASSÉE...

10

ALLEZ LÈVE-TOI !

CLING

TU SERAS GENTIL DE TE TENIR TRAN-QUILLE...

CLAC

VRAI-MENT...

CLAC

OUI !

FINISSONS VITE LES TRAVAUX !

C'EST SÛREMENT RIEN ? ICI TOUT EST FERMÉ À CLÉ...

EH... VOUS N'AVEZ PAS ENTENDU UN BRUIT BIZARRE LÀ-HAUT ?

C'EST SÛREMENT PARCE QU'ILS SONT EN TRAVAUX...

AAH, ÇA...

C'EST ÉTRANGE... ON EST DANS UN MUSÉE, NON ? POURQUOI N'Y A-T-IL PAS UN SEUL TABLEAU ?

MLLE SATÔ !!!

TAP TAP

MLLE SATÔ ! OÙ ÊTES-VOUS ?!

AAH...

TAKA-GI !

EH ! JE CROYAIS VOUS AVOIR DIT DE RENTRER PARCE QUE C'ÉTAIT DANGEREUX, NON ?

12

EN FAIT, JE L'AI CAPTURÉ MAIS...

IL...

OÙ EST LE SUSPECT ?

QU'EST-CE QUE VOUS FAITES ? CE SONT LES TOILETTES DES HOMMES...

ICI ! ICI !

JE NE ME SUIS PAS RENDU COMPTE QUE JE ME LES RACCAIS AUSSI !

NORMALEMENT IL FAUT PASSER LES MENOTTES UNIQUEMENT AU PRISONNIER, NON ?

QU'EST-CE QUE VOUS AVEZ FAIT ?

JE ME SUIS EMMÊLÉ LES PINCEAUX...

CLANG

DISCRÈTEMENT ? ÇA NE VA PAS ÊTRE SIMPLE AVEC LE CHAHUT QU'ON A FAIT AVEC LE SUSPECT EN FUITE...

SI LE COMMISSARIAT APPREND ÇA, C'EST LA HONTE ASSURÉE... ALORS TU VEUX BIEN LA CHERCHER, S'IL TE PLAÎT ? DISCRÈTEMENT...

JE L'AI PERDUE...

ET LA CLÉ ?

OUI, C'EST VRAI, C'EST MOI...

ET PUIS CE N'EST PAS MOI QUI AI LAISSÉ ÉCHAPPER UN SUSPECT !

DIS DONC ! N'OUBLIE PAS QUE JE SUIS TON SUPÉRIEUR !

13

HEIN ?

CE N'EST PAS MOI...

OUI, OUI...

JE COMPTE SUR TOI, TAKAGI.

QUAND JE ME SUIS LEVÉ, IL Y AVAIT CE CADAVRE !! JE N'Y SUIS POUR RIEN !

CE N'EST PAS MOI LE COUPABLE !!!

LORSQUE NOUS L'AVONS RETROUVÉE, ELLE AVAIT ÉTÉ ÉTRANGLÉE ET VOUS, VOUS DORMIEZ IVRE MORT DANS SON LIT !

DANS SA SALLE DE BAIN...

MLLE MASAMI MURANISHI HABITAIT DANS LE MÊME IMMEUBLE QUE VOUS ET ÉTAIT AUSSI VOTRE SUPÉRIEURE HIÉRARCHIQUE... ELLE A ÉTÉ ASSASSINÉE.

C'EST VRAI ! CROYEZ-MOI !!

IL EST COMME ÇA DEPUIS TOUT À L'HEURE...

M. HIGASHITA...

ON A RETROUVÉ VOS EMPREINTES SUR LA CLÉ DE LA PORTE, LA POIGNÉE, LA CHAINE DE SÉCURITÉ ET AUSSI SUR LE CÂBLE DE VIDÉO QUI ÉTAIT AUTOUR DE SON COU !

LA PORTE D'ENTRÉE ÉTAIT FERMÉE À CLÉ, LA CHAINE DE SÉCURITÉ ÉTAIT MISE... PERSONNE N'A PU SORTIR DE L'APPARTEMENT !

14

VOUS AVIEZ FERMÉ LA PORTE POUR NE PAS QU'ELLE PUISSE SORTIR... APRÈS LE MEURTRE, VOUS ÉTIEZ TELLEMENT IVRE QUE VOUS VOUS ÊTES ENDORMI SUR LE LIT.

IL EST NORMAL DE PENSER QUE VOUS LUI AVEZ RENDU VISITE ALORS QUE VOUS ÉTIEZ IVRE. VOUS VOUS ÊTES DISPUTÉS ET VOUS L'AVEZ TUÉE...

MAIS VOUS NE SEMBLEZ PLUS VOUS SOUVENIR DE VOTRE RETOUR CHEZ VOUS...

PAR AILLEURS, IL SEMBLE QUE VOS ACCROCHAGES AU TRAVAIL AVEC ELLE N'ÉTAIENT PAS PEU FRÉQUENTS. CE SOIR-LÀ, DANS UN BAR, VOUS AVEZ MÊME DIT À UN AMI : "JE NE VAIS PAS ME GÊNER POUR LUI DIRE LE FOND DE MA PENSÉE", APRÈS QUOI VOUS ÊTES RENTRÉ CHEZ VOUS FURIEUX !!

ALORS POURQUOI VOUS ÊTES-VOUS SAUVÉ ?

MAIS JE NE LA DÉTESTAIS PAS AU POINT DE VOULOIR LA TUER !!

C'EST VRAI QUE JE DÉTESTAIS CETTE FEMME QUI CRITIQUAIT TOUT CE QUE JE FAISAIS AU TRAVAIL !!

C'EST LA CONSÉQUENCE LOGIQUE DE VOTRE ÉTAT D'IVRESSE...

MAIS JE N'EN AI AUCUN SOUVENIR...

OÙ ÇA ?

IL Y A UN ENDROIT OÙ JE DOIS ALLER DEMAIN...

JE SERAIS VRAIMENT IDIOT DE NE PAS Y ALLER, NON ?

ALORS QUE J'ÉTAIS PERSUADÉ QU'ELLE ME DÉTESTAIT PENDANT TOUTES CES ANNÉES 17 ANS...

J'AI REÇU UNE INVITATION POUR LE MARIAGE DE MA FILLE QUI VIT À CHICAGO... MA FILLE QUI ÉTAIT SOUS LA GARDE DE MA FEMME...

15

CE MONSIEUR N'EST PAS UN MÉCHANT !!

MAIS...

JE VOUS ASSURE QUE C'EST LA VÉRITÉ !! ALLEZ VOIR DANS MA CHAMBRE, VOUS TROUVEREZ UNE LETTRE DE MA FILLE ET LE BILLET D'AVION !!

MAIS...

S'IL ÉTAIT VRAIMENT MÉCHANT, IL N'AURAIT PAS DIT ÇA !!

OUI, IL M'A RELÂCHÉE...

IL M'A MÊME DIT QU'IL ÉTAIT DÉSOLÉ !

HEIN ?

MLLE SATÔ ?

À 12H 30, DÉPART DE NARITA...

ET CE VOL... IL EST À QUELLE HEURE ?

CE QUE JE VAIS TE DIRE...

TAKAGI, ÉCOUTE BIEN...

16

IMPOSSIBLE DE JOINDRE TAKAGI ET SATÔ ?!

COMMISSARIAT DE POLICE

QUOI ?!

JE... JE VOUS REMER-CIE !!

QU'EST-CE QUE VOUS EN DITES ?

JUSQUE-LÀ JE VEUX BIEN VOUS CROIRE...

SI DES CLIENTS ENTRENT DANS LES TOILETTES ET NOUS DÉCOUVRENT ENCHAÎNÉS, ILS APPELLERONT LA POLICE, C'EST SÛR...

ON A JUSQU'À DEMAIN MATIN, 10 HEURES, AVANT QUE LE MUSÉE N'OUVRE !!!

MAIS TU N'ES PAS SEUL ! ILS ONT L'AIR TRÈS MOTIVÉS...

MAIS SEUL JE...

18

HEIN ?

DÉTECTIVE CONAN 23 Fin

Ninzaburo FURUHATA

23

I l y a beaucoup de détectives au Japon, mais s'il en est un auquel les malfrats n'ont pas envie d'avoir affaire, c'est bien Ninzaburô Furuhata! Créé par le scénariste Kôki Mitani, ce brillant personnage est attaché au département d'enquêtes de la préfecture et il n'a rien d'un inspecteur en apparence. Toujours vêtu de noir, c'est à vélo qu'il se rend sur les lieux du crime. Son regard se détourne à la vue du sang et il a l'habitude d'asticoter ses hommes pour leur incapacité. Il est assez pointilleux sur la qualité de la nourriture. De manière générale, il est d'ailleurs très scrupuleux en tout. D'où, son obsession d'analyser les faits très méticuleusement. D'où, sa façon de résoudre les énigmes par une démonstration rationnelle qui met en évidence la moindre incohérence dans les circonstances de l'affaire. Il ne laisse rien passer! Son enquête, il la mène avec ténacité et il ne lâche pas d'une semelle, son suspect n°1. Dans bien des cas, il le provoque et il va même jusqu'à lui tendre des pièges. C'est le sourire aux lèvres qu'à la fin, il apporte la preuve irréfutable que ses soupçons étaient fondés. Ses investigations prennent des allures de jeu. En fait, c'est un homme motivé par le dégoût du crime et un sens aigu de la justice, un homme qui accomplit son devoir.

Mon préféré est : "Le Roi souillé"

L'IMPORTANCE DES SCEAUX AU JAPON.

Une fois encore, Conan nous offre l'occasion de vous présenter un de ces petits détails de la vie courante des Japonais qui diffère en de nombreux points de celle des Européens.

Dans l'enquête qui se déroule sur le navire de croisière, un des éléments qui permet à notre jeune détective de résoudre le mystère qui planait sur cette affaire, c'est un sceau. Petit rappel : après avoir éliminé leur chef, les trois complices déposent le butin sur un compte en banque. Pour éviter toute arnaque individuelle supplémentaire, ils se partagent les responsabilités : le premier gardera la clé du coffre, le second sera le dépositaire officiel de la signature et le troisième se verra confier le sceau.

Qu'est-ce donc que ce sceau? Contrairement aux Occidentaux qui ont abandonné cette pratique depuis plusieurs décennies, les Japonais sont tous détenteurs d'un sceau (en japonais "inkan" ou "hanko") qui a valeur de signature officielle. Les noms japonais s'écrivant généralement avec un ou deux idéogrammes (voire trois plus rarement), ce sont ces mêmes idéogrammes qui sont reproduits sur le sceau.

Comme vous l'avez vu à la page 65 de ce volume de Conan, un sceau se présente sous la forme d'une petite tige (généralement en plastique) d'environ 5 cm de long et d'un diamètre inférieur à 1 cm au bout de laquelle est gravé le nom du titulaire. C'est un objet très important au quotidien. En effet, au même titre que la signature manuscrite est obligatoire pour toute démarche administrative ou bancaire en Europe, le sceau est indispensable au Japon.

Sans lui, impossible de louer une maison ou encore d'ouvrir un compte en banque. De plus en plus, on y exige d'ailleurs le sceau et la signature conjointement. En théorie, chaque sceau, fabriqué à la main par un artisan, est unique. En pratique, vous pouvez acheter un sceau à votre nom dans une librairie sur présentation d'une pièce d'identité... Ce qui ne l'empêche pas de rester unique. Nécessité absolue quand on sait que le Japon compte quelque 2 millions de personnes s'appelant "Sato" ou "Suzuki" et plus d'un million de "Yamamoto"!

UN SYSTÈME À PART POUR COMPTER LES ANNÉES.

Non, les Japonais ne comptabilisent pas les années de la même manière que nous.

La raison en est simple : pour nous Occidentaux, l'an 1 correspond à la naissance du Christ, or le christianisme ne concerne que 0,7 % de la population du Japon (84 % des Japonais sont shintoïstes et bouddhistes, 15 % pratiquent d'autres religions). Dès lors, le temps s'y compte en ères. Jadis, ces périodes changeaient au gré des événements historiques de manière relativement aléatoire et rapide. Depuis ce que l'on appelle communément la **Restauration de Meiji**, leur durée correspond à celle du règne d'un empereur. Énumérer les ères de l'histoire japonaise serait bien trop long et peu intéressant. Nous nous contenterons donc de vous citer celles qui se sont déroulées pendant notre 20e siècle déjà presque achevé.

1868-1912, c'est l'ère dite de Meiji, du nom de l'empereur qui vécut durant cette période.

1912-1925, c'est l'ère Taishô.

1926-1988, c'est l'ère Shôwa, celle du célèbre empereur Hirohito que vous avez certainement déjà vu dans quelques films traitant de la seconde guerre mondiale (1939-1945) dans le Pacifique-Est.

Depuis 1989, c'est l'ère Heisei. Cette ère dans laquelle nous sommes encore, se terminera lors du décès de l'actuel empereur Akihito.

La planète entière comptant les années à partir de la naissance du Christ, le Japon a, par commodités commerciales essentiellement, adopté ce système il y a bien longtemps. Il n'en a pas pour autant abandonné celui qu'il utilisait anciennement. Si vous demandez à un Japonais sa date de naissance, vous pouvez être certains qu'il vous répondra : "Je suis né en l'an XX de l'ère Shôwa" et non "Je suis né en 19XX"!

Pour les Japonais, l'an 2000 correspond donc à l'an 12 de l'ère Heisei. Sachez par ailleurs que dans Détective Conan, Shinichi Kudo, devenu en français le "Sherlock Holmes des années 90" (cf. vol. 1), était le "Sherlock Holmes de l'ère Heisei" dans la version originale !

Courrier

Courrier Courrier Courrier Courrier Courrier COURRIER

"PEACE & LOVE" CONAN!

Bonjour Kana. C'est un plaisir de vous écrire enfin. Je suppose que vous vous doutez que je ne vous écris pas que pour vous complimenter, mais à propos de Conan, plus particulièrement au sujet de Heiji Hattori et des enquêtes de Conan. Dites-moi pourquoi Hattori n'est apparu que trois fois à travers 18 volumes? Hattori est un de mes personnages préférés et il s'entend tellement bien avec Kudo (hihihi...).

Passons à autre chose : les enquêtes de Conan. Il y a deux choses qui me turlupinent (comme le dit si bien la mère de Shinichi). Bref, ce n'est pas à propos d'erreurs mais bon... Primo : vous ne trouvez pas ça étrange qu'à chaque histoire, il y ait une énigme à résoudre? C'est vrai! Ran, Conan et Kogoro vont en vacances et hop! une énigme à résoudre! C'est bizarre... A moins que tous les criminels fassent partie de l'organisation des hommes en noirs (hahaha!).

Secundo : vous remarquerez que personne ne peut découvrir les réponses d'une énigme car Conan voit souvent des indices qu'on ignore. Exemple dans le tome 17, quand Conan regarde dans un vase, il aperçoit un téléphone portable que nous ne voyons pas. Je sais que c'est sûrement volontaire, mais s'il vous plaît, pourriez-vous demander à Gosho de nous laisser une seule énigme à résoudre? Merci. Mon amie et moi, nous sommes de vrais fans de Conan. Alors merci encore pour votre traduction en or!

CÉCILE SIENGKHAMDY
13 ANS
PARIS

VÉRONIQUE M.C. (13 ANS) - QUÉBEC.

Chère Véronique,

Merci pour cette lettre qui nous touche particulièrement de par sa provenance! La popularité de Conan n'a décidément pas de frontières...

Tu n'es pas la seule à apprécier le charme de Hattori et même si nous comprenons ton désir de le voir plus souvent participer aux enquêtes de Conan, il n'en reste pas moins que le titre de ce manga est "Détective Conan" et non "Détective Hattori"... Quoi qu'il en soit, on peut penser que M. Aoyama utilise les apparitions de

COURRIER

Anonyme (Stéphane ?)

Hattori avec parcimonie afin de maintenir son lectorat en haleine. La ressemblance entre Shinichi et Hattori n'a pas dû t'échapper : c'est certainement pour palier l'absence de Shinichi que l'auteur a décidé de mettre en scène Hattori, pour nous rappeler quelle devrait être la véritable apparence de Conan si les hommes en noir n'avaient pas croisé sa route un certain jour. Toutefois, sans aller jusqu'à dire de l'auteur qu'il est un génie, on peut remarquer toute sa finesse et son intelligence : plus l'histoire avance et plus les ramifications s'étendent. En effet, à l'image de ce volume 23, les apparitions de Hattori sont de plus en plus importantes et fréquentes, l'arrivée de Aï Haibara ouvre une nouvelle perspective à l'histoire et enfin, la piste originelle des hommes en noir est loin d'avoir été abandonnée! Et ce n'est pas trop vous en dire que d'annoncer un volume 24 véritablement explosif avec une enquête à suivre de plus 80 pages sur les hommes en noir! Vous n'êtes pas au bout de vos surprises...

HO! HA! BOUM! PSSST... FLASH!

Après une ode décernée à Conan, nous commencerons par féliciter l'équipe de Kana et bien sûr à saluer Gosho Aoyama. Depuis le volume 11, nous avons bien évidemment grandi (eh oui comme tout le monde!), mais nous avons eu l'extrême chance d'aller au Japon durant les deux mois d'été 1999. Nous sommes très fiers d'être bilingues de par nos origines. Nous avons eu l'occasion d'apprécier Conan à la télé malgré quelques différences avec le manga original (les couleurs attribuées sont parfois étonnantes). Et nous avons pu lire les prochains épisodes de notre Conan adoré! Suspens... Nous tenons à ajouter que c'était une très bonne idée d'ajouter dans le volume 15 les syllabaires qui ont dû être appréciés par les lecteurs. Cependant, sûrement un oubli, il manque deux lignes dans chacun d'eux, soit 20 caractères : les dérivés du son "g" formés à partir du son "k", et les dérivés du son "z" formés à partir du son "s". Il est vrai que pour le volume 12, ces sons sont inutiles, mais ils pourront servir dans les volumes suivants. Encore une petite remarque : les onomatopées sont bien différentes en France et au Japon. Prenons par exemple dans le volume 12, le dossier 8 : l'explosion dans le garage se fait entendre par les Français "baoum", mais les Japonais l'entendent "don" (le syllabaire de katakana est très utile pour les onomatopées); et encore plus étonnant est le bruit du feu traduit en français par "fsssh", alors que M. Aoyama a écrit "gooo". Mais le fait que les onomatopées n'ont pas été supprimées comme dans certains mangas a ravi notre maman japonaise experte traductrice et ayant fait un mémoire sur les onomatopées japonaises et françaises (petit lancer de fleurs...).

En attendant les prochaines aventures de Conan... Matane! (A bientôt en japonais)

DAVID ET CÉLINE C. ALIAS KEN ET EMI. - ST DRENS (31)

Chers David-Ken et Céline-Emi,

Il est vrai que si le temps passe pour tout le monde, il reste quand même quelqu'un qui ne grandit pas pendant les vacances d'été, c'est Shinichi... Merci d'avoir corrigé notre oubli dans le tableau des syllabaires japonais. Nous conseillons à tous ceux qui veulent en savoir plus, de se tourner vers une quelconque méthode d'apprentissage du japonais disponible dans toute bonne librairie. Ils y trouveront immanquablement les tableaux complets de ces syllabaires.

**CÉCILE SIENGKHAMDY
13 ANS
PARIS**

Les onomatopées sont souvent sources de conflits lorsqu'on parle des traductions et adaptations de mangas. Personne n'est vraiment d'accord sur la question. A savoir : faut-il les garder ou les enlever? Si on les garde, faut-il les traduire ou non? Faut-il les retravailler ou non? L'avis de notre traducteur maison sur la question est simple : la perception des sons est différente pour les Japonais et les Francophones, ce qui a pour incidence une adaptation de l'onomatopée et non une traduction littérale. Un exemple de base : un des personnages frappe à la porte de la chambre. En japonais le son retranscrit en onomatopée sera : "kon! kon!". D'après notre traducteur, ce son - à l'inverse d'un "toc! toc!" - n'évoquera rien pour le lectorat francophone. Voilà pourquoi l'onomatopée choisie pour frapper sur une porte est "toc! toc!" et non "kon! kon!". Sur le même principe, les autres onomatopées sont adaptées. Mais n'oubliez pas : là où il y a choix, il y a nécessairement contestation...

VANINA CASTER
16 ANS
GRENOBLE

ENVOYEZ-NOUS VOS PLUS BEAUX DESSINS, NOUS LES PUBLIERONS.

ENVOYEZ VOS ILLUSTRATIONS OU PLANCHES (2 MAXI SVP!) À :
KANA, 15/27 RUE MOUSSORGSKI, 75018 PARIS.
N'OUBLIEZ PAS D'INDIQUER VOS NOM, ÂGE ET VILLE AU DOS DE VOS DESSINS!
ATTENTION, LES DESSINS NE SONT PAS RETOURNÉS. ENVOYEZ-NOUS DE BONNES COPIES.

LE PILIER DE LA COLLECTION KANA EST LE SHONEN MANGA : DÉCOUVREZ TOUTES CES SÉRIES DE QUALITÉ !!

LES CLASSIQUES

LÉGENDAIRE :
'SAINT SEIYA - LES CHEVALIERS DU ZODIAQUE''
de Masami Kurumada
Le récit mythique des chevaliers sacrés de
la déesse Athéna en 28 volumes!

SUBTIL : 'DÉTECTIVE CONAN''
de Gosho Aoyama
Aucune énigme ne résiste à Conan Edogawa,
le fin limier en culottes courtes.

CULTE : 'CAPITAINE ALBATOR''
de Leiji Matsumoto
Le manga à l'origine de tout un univers,
toute une époque! 5 volumes indispensables!

FANTASTIQUE : 'YUYU HAKUSHO''
de Yoshihiro Togashi
Un jeune voyou est réquisitionné pour devenir détective
de l'au-delà, super pouvoirs et super ambiance!

IMBATTABLE : 'SLAM DUNK''
de Takehiko Inoue
Le basket-ball comme vous ne l'avez jamais vu,
une intensité hors du commun!

LES OUTSIDERS

CAPTIVANT : "YU-GI-OH!"
de Kazuki Takahashi
C'est l'heure du duel,
par les cartes et pour la justice!

IMPRÉVISIBLE : "HUNTER X HUNTER"
de Yoshihiro Togashi
Suivre Gon au beau milieu de sa quête, c'est aller
de surprises en surprises. La vie de hunter est
semée d'embûches, mais c'est là que se
reconnaissent les vrais héros...

SURPRENANT : "SHAMAN KING"
de Hiroyuki Takei
Ne devient pas le "roi des shamans" qui veut!
La lutte pour le titre sera terrible...

LES NOUVELLES VALEURS

FABULEUX : "INU-YASHA"
de Rumiko Takahashi
Plongée dans un Japon de légendes et d'esprits
avec la jeune collégienne Kagome
et son mystérieux compagnon Inu-Yasha!

DÉLIRANT : "NARUTO"
de Masashi Kishimoto
Naruto est plutôt du genre farceur, frondeur et têtu :
son ambition devenir le plus grand des ninjas!
La route est longue et elle est drôle!!

MEITANTEI CONAN VOL.23 by Gosho AOYAMA
© 1999 Gosho AOYAMA

Original Japanese edition published in 1999 by Shogakukan Inc., Tokyo
French translation rights arranged with Shogakukan Inc.
through The Kashima Agency for Japan Foreign-Rights Centre

© KANA 2000
© KANA (DARGAUD-LOMBARD s.a.) 2010
7, avenue P-H Spaak - 1060 Bruxelles
6e édition

Dépôt légal d/2000/0086/282
ISBN 2-87129-259-0

Traduit et adapté en français par Tisabo
Lettrage : Eric Montésinos

Imprimé en Italie par G. Canale & C. S.p.A. - Borgaro T.se (Torino)